Combattre à Ristigouche

Hommes et navires de 1760 dans la baie des Chaleurs

Gilles Proulx

Lieux historiques nationaux
Parcs Canada
Patrimoine canadien

En vente au Canada par l'entremise de nos agents libraires agréés et autres librairies, ou par la poste auprès du Groupe Communication Canada — Édition, Approvisionnements et Services Canada, Hull, Québec, Canada KIA OS9.

Publié avec l'autorisation
du ministre du Patrimoine canadien
Ottawa, 1999.

Révision et conception : Expression Communications Inc.

Parcs Canada, ministère du Patrimoine canadien, publie les résultats de ses recherches en archéologie, architecture et histoire. Pour obtenir le catalogue de nos publications, prière de s'adresser à la :

Section des publications
Parcs Canada
Patrimoine canadien
25, rue Eddy, 25-6-T
Hull (Qc)
KIA OM5

Tél .: (819) 994-2566
Tlcp. : (819) 997-4831

Site Internet : http://parcscanada.pch.gc.ca/boutique

Données de catalogage avant publication (Canada)

Proulx, Gilles
Combattre à Ristigouche : hommes et navires de 1760, dans la baie des Chaleurs

Publ. aussi en anglais sous le titre : Fighting at Restigouche
Comprend des références bibliographiques.

ISBN 0-660-96120-2
N° de cat. R64-213/1999F

1. Architecture navale – Histoire – 18e siècle. 2. Canada – Histoire – 1755-1763 (Guerre de Sept Ans). 3. Canada – Commerce – Histoire – 18e siècle. 4. Ristigouche, Bataille de la, 1760. 5. Marins – France – Histoire – 18e siècle. 6. Machault (navire). I. Parcs Canada. Lieux historiques nationaux. II. Titre. III. Titre : Hommes et navires de 1760, dans la baie des Chaleurs.

FC384.P76 1999 971.01'88 C99-980102-3
F1030.P76

Page couverture. Vestiges du *Machault* (emplanture du mât principal) et profil (en arrière-plan) d'un vaisseau anglais. *Ministère du Patrimoine canadien* et *Cécile Bilodeau*.

Table des matières

PLANCHE I
Frégate marchande à l'ancre. *Tableau de Joseph Vernet, « Le golfe de Bandol », 1756, Musée de la Marine, Paris, Photo RMN.* (Voir fig. 8, p. 46.)

PLANCHE II
Modèle du *Achilles* de 60 canons qui est présent à Ristigouche, daté de 1757. *Science Museum, Londres/Science & Society Picture Library.* (Voir fig. 25, p. 97.)

1 Vue du port de Bordeaux d'où part l'expédition du *Machault* en 1760. *Tableau de Joseph Vernet, Musée de la Marine, Paris, Photo RMN.*

La baie des Chaleurs à deux siècles d'intervalle

Le 10 avril 1760, six bâtiments de commerce de construction française, cinq navires et une frégate d'escorte quittent Bordeaux (fig.1) à destination du Canada. Affrétés* par le roi, les six voiliers transportent des vivres, des munitions et quelque 400 hommes de troupe vers une colonie dont le principal établissement, Québec, est tombé, huit mois auparavant, aux mains de l'ennemi. Dirigée par François Chénard de la Giraudais qui commande la frégate *Machault*, du nom du ministre de la Marine Machault d'Arnouville, l'expédition sort de la Gironde et essaie d'abord d'échapper aux unités de la Royal Navy qui font le blocus de la côte française. Les 12 et 17 avril, la marine anglaise arraisonne deux voiliers du convoi, le *Soleil* et *l'Aurore*, et les conduit en Angleterre. Un troisième bâtiment, le *Fidélité*, connaît un sort plus tragique en faisant naufrage non loin des Açores le 30 avril. En entrant dans le golfe Saint-Laurent à la mi-mai, les trois autres bâtiments de l'expédition, le *Machault*, le *Bienfaisant* et le *Marquis-de-Malause*, s'emparent d'un voilier anglais et apprennent que des vaisseaux anglais les précèdent dans le fleuve Saint-Laurent.

La petite flotte française décide alors de se réfugier dans la baie des Chaleurs (fig. 2); elle s'y dirige en s'emparant de six ou sept petits bâtiments anglais. La nécessité de refaire les approvisionnements

---

* Tous les noms suivis d'un astérisque dans le texte sont définis en lexique à la fin.

d'eau potable et de biscuits ainsi que la présence supposée de nombreux vaisseaux de guerre ennemis, sur la côte atlantique, sont sans doute à l'origine de cette décision. Les voiliers français s'y retrouvent bien vite pris au piège par cinq bâtiments de la marine royale britannique, arrivés en toute hâte du port de Louisbourg. Il s'agit du *Fame* de 74 canons, du *Dorsetshire* de 70, de *l'Achilles* de 60, trois vaisseaux de troisième rang, et des frégates *Repulse* et *Scarborough*, de 32 et 20 canons respectivement[1]. Après un siège d'une dizaine de jours et un combat de cinq heures, le *Machault* se saborde le 8 juillet pendant que les deux autres navires français brûlent. Les cinq bâtiments des assiégeants reprennent alors la route vers leur base nord-américaine. À la fin des années 1960 (1967-1972), une équipe d'archéologues à l'emploi de Parcs Canada effectue des recherches dans l'estuaire de la rivière Ristigouche.

Ces travaux subaquatiques mettent au jour des vestiges de voiliers et une vaste quantité d'objets qui y reposent depuis 1760. Les recherches archéologiques, en plus de livrer des pièces de la coque du *Machault*, une frégate de 24 canons appartenant lors de sa dernière campagne à des intérêts privés canadiens, révèlent aussi des outils, des armes, des pièces d'habillement et une quantité assez impressionnante de verres à vin, de vaisselle en faïence, et même en porcelaine chinoise. Cet exercice d'archéologie maritime est donc riche de renseignements sur la nature des échanges commerciaux à

1 L'expédition française comprend les bâtiments suivants : le *Bienfaisant*, 320 tonneaux*, capitaine Jean Gramon; le *Marquis-de-Malause*, 354 tonneaux, capitaine Antoine Lartigue; le *Fidélité*, 450 tonneaux, capitaine Louis Kanon, dit Kanon le jeune; le *Soleil*, 350 tonneaux capitaine Paulin Clémenceau, et l'*Aurore*, 450 tonneaux, capitaine François Demortier. Le *Machault*, de 500 tonneaux, armé de 20 canons de douze livres de balle et de 8 canons de six, porte 100 hommes d'équipage et des menues armes à proportion. Les commandants des vaisseaux anglais sont pour le *Fame*, de 74 canons, le capitaine John Byron; le *Dorsetshire*, de 70, John Campbell; l'*Achilles*, de 60, Samuel Barrington; le *Repulse*, de 32, John Carter Allen, et le *Scarborough*, de 20, John Stott. Jean de Maupassant, *Les armateurs bordelais au XVIIIe siècle, Les deux expéditions de Pierre Desclaux au Canada*, Bordeaux, Imprimerie Gounouilhou, 1915, p. 29, 35.

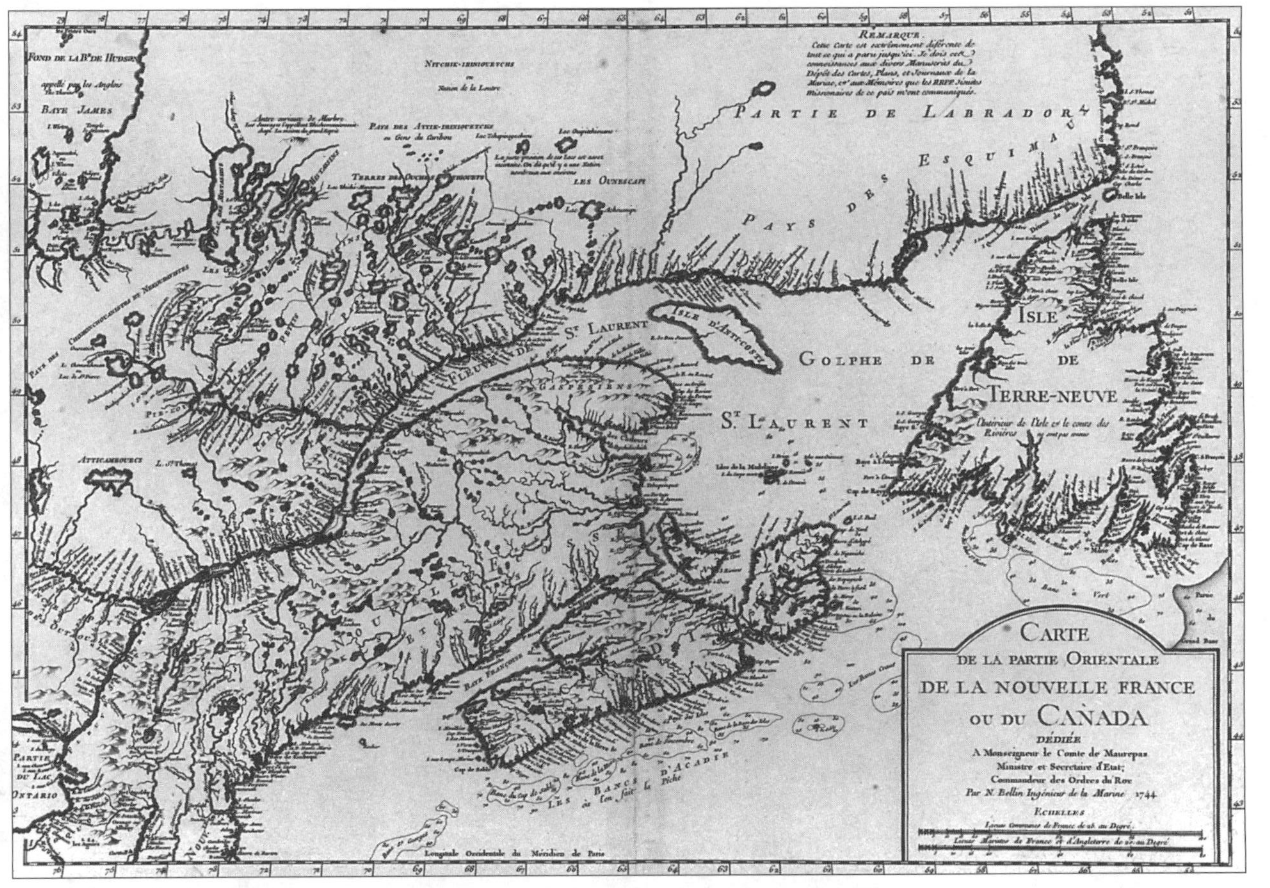

2 Carte de la partie orientale de la Nouvelle-France, permettant de localiser la baie des Chaleurs et Ristigouche. *Archives nationales du Canada, Nicolas Bellin, 1744, C40030.*

la fin du régime français et sur l'architecture navale au XVIIIe siècle. Avant de décrire les bâtiments ayant participé à ces événements, en particulier le *Machault*, c'est d'abord l'évocation de la Nouvelle-France en guerre, des campagnes du *Machault*, de ses origines, qui intéresse ici. La relation des péripéties du siège et de la bataille de la Ristigouche, des stratégies et tactiques utilisées, complète cet aperçu du conflit de 1760 qui s'est livré dans la baie des Chaleurs. Après une incursion dans l'univers du voilier par l'examen de l'architecture navale, la présentation des hommes occupés à manœuvrer tous ces bâtiments permet de saisir quelques caractéristiques et contraintes du métier de marin à l'époque de la voile et de comprendre leurs répercussions sur les combattants de Ristigouche.

Conflit nord-américain et armement naval en Atlantique

Un pays en guerre

Conflit larvé et déclaration de guerre

Déclarée officiellement en mai et juin 1756 entre la France et l'Angleterre, la guerre de Sept Ans est précédée de nombreux incidents belliqueux en Amérique du Nord et sur l'Atlantique. Dès 1755, l'Angleterre s'attaque aux bâtiments commerciaux français et s'empare d'environ 300 d'entre eux. Des accrochages dans la vallée de l'Ohio entre soldats français et colons américains en 1754 soulignent la fragilité des accords de paix intervenus en 1748 entre la France et l'Angleterre, et ce en dépit de la création d'une commission pour fixer les frontières entre la Nouvelle-France et la Nouvelle-Angleterre. La mort de l'officier Jumonville aux mains des soldats de George Washington et la prise du fort Nécessité par les Français ravivent les luttes. La capture, le 8 juin 1755, par l'amiral anglais Boscawen des vaisseaux *Alcide* et *Lys* et des troupes qu'ils transportent au Canada met le feu aux poudres sur l'océan. Ces événements, comme le conflit qui débute en 1756, sont de fait la résultante, du moins en Amérique du Nord, d'une rivalité datant des années 1690 avec une première invasion anglo-américaine jusqu'au cœur de la Nouvelle-France, devant les murs de Québec.

Les guerres européennes de la ligue d'Augsbourg (1689-1697), de succession d'Espagne (1702-1711), et de succession d'Autriche (1744-1748) se transposent en Amérique du Nord. Elles donnent lieu à de nombreux raids frontaliers réciproques, à quelques invasions réussies et à des prises de possession de territoires, au détriment de la Nouvelle-France en particulier. La cession des établissements français de Terre-Neuve, de la baie d'Hudson, et d'une grande partie de l'Acadie par le traité d'Utrecht de 1713 affecte profondément des milliers de colons canadiens. Plusieurs sont contraints de déménager à l'île Royale (Cap-Breton) et à l'île Saint-Jean (île du Prince-Édouard) pendant que certains préfèrent demeurer sur leurs terres de la baie Française (Nouvelle-Écosse), sous une métropole différente cependant. La croissance démographique accélérée de la colonisation anglaise et son nécessaire besoin d'une assise territoriale entrent en conflit avec la recherche d'un espace économique de plus en plus en vaste chez les Français, nécessaire pour répondre à leur économie de cueillette. Des frontières mal définies suscitent des altercations et seule la disparition d'une des colonisations rivales apparaît de nature à solutionner définitivement leur perpétuelle concurrence.

Déboires anglais

Bien que sa population soit de vingt fois supérieure à celle de sa rivale, la colonie anglaise est en proie à de graves difficultés au début de la guerre de Sept Ans. Les trois premières années, de 1755 à 1757, sont de fait désastreuses. Trois campagnes lancées en 1755 pour capturer des postes français en Ohio, sur les lacs Champlain et Ontario, sont des fiascos. En 1756, tout en se fortifiant à Carillon (Ticonderoga), les Français capturent Oswego, sur le lac Ontario. L'année suivante, Montcalm réussit à s'emparer du fort William-Henry, sur le lac George, pendant qu'une flotte anglaise se dirigeant vers Louisbourg se disperse dans la tempête. Face à une Nouvelle-France politiquement unifiée, les 13 colonies américaines composent avec des intérêts politiques et économiques fort divergents. Toutes ces colonies n'éprouvent pas les mêmes difficultés face à la Nouvelle-France et sont donc moins pressées de s'engager dans le combat. L'incompétence de certains chefs militaires et surtout l'absence de moyens efficaces de ravitaillement expliquent aussi les échecs et reculs des forces anglaises.

Au Canada, la faiblesse de l'adversaire constitue une bonne partie de la force de la colonie française. De 1755 à 1757, huit bataillons* des troupes de terre débarquent également à Louisbourg et à Québec avec quelques centaines de soldats des troupes franches* de la Marine. Placés sous un commandement unifié, les 8000 à 10 000 soldats de la Nouvelle-France, soutenus par quelque 14 000 miliciens, sont bien armés et équipés. Les transports de troupes nécessaires pour amener tous ces soldats obligent plusieurs vaisseaux à prendre la route du Canada. Leur nombre élevé facilite sans doute leur passage sur une mer bien patrouillée par la marine royale anglaise. Pendant que des sorties en mer plus nombreuses et des campagnes plus longues fragilisent le matériel naval français, les activités militaires en Nouvelle-France prélèvent par ailleurs un tribut de plus en plus contraignant sur son économie.

Échecs français

En 1758, le vent tourne en faveur de la colonie anglaise. L'arrivée au pouvoir, en Angleterre, de nouveaux dirigeants plus énergiques provoque des réajustements. La marine anglaise entreprend le blocus des côtes de France, y effectue quelques descentes et surveille les transports vers la Nouvelle-France. Le procédé est efficace puisque les vaisseaux français se préoccupent de défendre les ports de France et sont donc beaucoup moins nombreux à prendre la route de l'Atlantique Nord. Il faut s'en remettre à des convois de navires marchands pour aider la Nouvelle-France. Par ailleurs, l'efficacité des systèmes de ravitaillement en Amérique anglaise est revue avec, entre autres, la construction de nombreux bateaux pour le service sur les lacs et rivières d'Amérique. La décision d'attaquer simultanément les frontières de la Nouvelle-France sur plusieurs fronts entraîne en 1758 la chute de Louisbourg et la prise du fort Frontenac sur les Grands Lacs. Seul Carillon échappe à l'offensive anglaise sur le lac Champlain, et les Canadiens en profitent pour bien s'y équiper en petits bateaux. L'année 1758 voit par ailleurs le dernier envoi important d'unités navales de la marine royale française vers l'Amérique du Nord. La prise de Louisbourg provoque en plus la destruction de la dizaine de frégates et de vaisseaux français stationnés dans ce port.

L'année 1759 est déterminante pour le sort de la colonie française en Amérique du Nord. L'arrivée dans le fleuve Saint-Laurent d'une vingtaine de vaisseaux de guerre et d'une centaine de navires de transport anglais et un siège qui dure plus de deux mois conduisent à la capitulation de Québec le 18 septembre. L'offensive anglaise prévue contre Montréal à l'ouest rencontre une trop forte résistance et, malgré la capture des forts Saint-Frédéric et Niagara, elle ne réussit pas à atteindre son objectif en raison de l'approche de l'hiver. La Nouvelle-France n'est plus qu'un pays amputé de ses plus vastes espaces, pris dans un étau entre la rivière Jacques-Cartier et le lac Ontario. Les Anglais encerclent militairement le Canada de toutes parts; le pays est aussi très affecté matériellement. L'occupation du gouvernement de Québec et le siège de la ville ont causé la perte de centaines d'habitations.

Pénurie alimentaire

L'étau militaire se referme également sur un pays assiégé par la faim. En novembre 1759, le chevalier de Lévis déclare que : « Faute de munitions de guerre et de bouche il nous sera impossible de faire aucune expédition ni entreprise cet hiver, bienheureux si nous pouvons nous soutenir, nous finirons de manger la plus grande partie ou reste des bœufs et des chevaux »[2]. Les quatre années de guerre que la Nouvelle-France vient de vivre ne sont pas l'unique cause des difficultés qu'elle éprouve à l'automne 1759. La production agricole canadienne, depuis une décennie, affecte grandement la situation de la colonie au lendemain de la capitulation de Québec. Faute d'une production excédentaire, les exportations de farine sont interdites en Nouvelle-France depuis 1751. Les récoltes des années précédentes ont été plutôt faibles et, après avoir connu des récoltes normales de 1753 à 1755, le Canada obtient à nouveau de mauvais rendements dans sa production agricole de 1756 à 1758, partiellement à cause de conditions climatiques difficiles. Les méthodes de culture utilisées,

---

2 Doughty, Arthur G., éd., *An historical journal of the campaigns in North America for the years 1757, 1758, 1759 and 1760, by Captain John Knox,* Lettre du chevalier de Lévis citée à la suite du Journal, Toronto, The Champlain Society, 1916, vol. 3, p. 355-356.

qui provoquent l'épuisement des sols et donnent des produits de qualité médiocre, n'aident pas la cause des approvisionnements au Canada. Les mauvais rendements d'une année handicapent naturellement les semences subséquentes.

À compter de 1757, les autorités établissent le rationnement au Canada. Les rendements agricoles sont fort minces et la demande en vivres a considérablement augmenté depuis 1755. La population canadienne croît de quelque 5000 personnes avec l'arrivée, depuis les débuts de la guerre, de bataillons de troupes de terre et de nouvelles compagnies franches de la marine. Aux militaires s'ajoutent également quelque 2000 Acadiens, transplantés de leurs terres ancestrales depuis que Lawrence a brûlé les maisons de Grand-Pré, et environ 2000 Amérindiens qui participent aux opérations militaires. Pour nourrir ces milliers de bouches supplémentaires avec une production agricole en déclin, il faut recourir au cheptel animal et, en 1759, Vaudreuil réquisitionne dans le gouvernement des Trois-Rivières « tous les bœufs, sauf ce qu'il en faut pour qu'une charrue fonctionne de deux en deux fermes »[3]. Les habitants consacrent leurs énergies à la guerre et abattent bœufs et chevaux, soit leurs plus utiles instruments de production agricole, pour nourrir leurs concitoyens. L'agriculture ne peut que déchoir et la faim s'installer.

Profiteurs de guerre

À la pénurie provoquée par des rendements agricoles nettement insuffisants s'ajoute aussi une rareté artificielle créée par certains hommes politiques et quelques profiteurs de guerre. En octobre 1756, Joseph Cadet devient responsable de l'approvisionnement des troupes canadiennes à des conditions qui lui accordent à toutes fins utiles la main haute sur les activités commerciales. Cadet n'a pas à acquitter de droits sur les farines importées et on interdit la sortie des vivres du Canada tant que le munitionnaire* n'est pas pourvu pour deux ans, soit par des produits de France, soit par la production locale. Cadet possède ainsi un pouvoir de réquisition assez étendu, donc la possibilité de fixer les prix d'achat, ce qui, à la longue, ne peut que

3 Frégault, Guy, *La guerre de la Conquête*, Montréal, Fides, 1955, p. 330.

réduire la production agricole canadienne. Pourquoi cultiver, produire davantage, s'il faut garnir les entrepôts de Cadet avec les surplus et être payé avec de la monnaie sans grande valeur? À l'époque, Montcalm accuse même Joseph Cadet de détourner des approvisionnements vers les Antilles. De fait, comme le munitionnaire touche 23 sols par ration militaire distribuée dans les forts et 9 sols seulement pour la ration donnée dans les villes, il préfère bien garnir les forts au détriment des villes. Avec la complicité des gens en place, n'ayant pas à payer la main-d'œuvre et le transport, Cadet peut se permettre ces abus.

Les manipulations commerciales de Cadet, les déficiences de la production agricole et les accroissements subits de la population permettent de mieux comprendre pourquoi la colonie est au bord de la famine, à l'hiver de 1759. L'envoi de secours s'impose. En décembre 1759, le général Amherst écrit : « même sans recevoir un autre coup il faut que le Canada tombe ou que ses habitants meurent de faim »[4]. Les Canadiens peuvent-ils contrer cette sombre prédiction, espérer un secours qui change le cours des événements? Pour faire face à la situation, la colonie adresse deux demandes de secours à la France. La première est une initiative privée. Formulée le 26 octobre 1759 par Joseph Cadet, le munitionnaire l'adresse à son correspondant bordelais, Pierre Desclaux. Ce Desclaux est, en 1759, le grand responsable de l'expédition d'une vingtaine de voiliers vers la Nouvelle-France et approvisionne huit de ces bâtiments.

Une colonie aux abois

En octobre 1759, Joseph Cadet commande uniquement des vivres, et les quantités demandées sont impressionnantes. Cadet réclame des farines, des salaisons, des légumes, des produits d'assaisonnement, du beurre et des boissons. L'article le plus important de la commande est celui des farines, à raison de 50 000 barils de 180 livres chacun. Les farines représentent un encombrement de 6250 tonneaux*, soit un peu plus que tous les barils de farine expédiés au Canada, en 1758 et 1759, alors que le fleuve Saint-Laurent est

4 Frégault, Guy, *ibid.,* p. 358.

encore sous contrôle français. L'encombrement total, si Desclaux expédie tous les vivres demandés, sera de 10 840 tonneaux dont 672 en boissons. Les boissons représentent six pour cent des cargaisons. Le tonnage moyen des navires expédiés vers le Canada, de 1755 à 1760, est de 220 tonneaux; il faut donc environ 50 bâtiments pour remplir la commande de Cadet. En 1759, le Canada n'a reçu qu'une vingtaine de voiliers, chargés de 6000 tonneaux de marchandises. Ces cargaisons représentent 80 jours d'approvisionnements. Compte tenu des circonstances, la demande de Cadet, en octobre 1759, est fort imposante, mais ne comble les besoins canadiens que très provisoirement.

Les autorités politiques et militaires, représentées par Vaudreuil et Lévis, adressent également des demandes à la métropole. Elles chargent le commandant de l'artillerie, François Le Mercier, de les transmettre à la cour personnellement. Elles exigent une flotte pouvant transporter 4000 hommes de troupe, 50 000 quarts de farine, 20 000 quarts de lard, 24 canons, des marchandises de traite et de l'habillement pour les soldats. Cette flotte nécessite une escorte de cinq à six vaisseaux de guerre. Les vivres demandés s'apparentent en quantité et nature à la commande de Cadet. Le Mercier suggère même au roi de charger quelques négociants de l'envoi de ces secours contre paiement de commission. Les 4000 hommes de troupes réclamés représentent huit bataillons, soit le total des troupes traversées au Québec en 1755, 1756 et 1757. Demander une escorte de cinq ou six vaisseaux de guerre, après la toute récente et cruelle défaite d'une importante flotte française sur les côtes de Bretagne et alors que seulement deux frégates sont venues au Canada en 1759, c'est sans doute beaucoup exiger.

Les autorités métropolitaines sursautent devant les demandes canadiennes, qu'elles évaluent à huit millions. C'est à peine 130 livres par habitant, mais en décembre 1759, le ministre Berryer n'obtient que 30 millions pour tous les services de la marine, dont 21 millions pour des obligations déjà contractées. Les demandes canadiennes doivent être analysées dans cette perspective budgétaire. Dans un mémoire présenté à la Cour en janvier 1759, Bougainville, un membre de l'état-major des troupes de terre servant en Canada, soutient que, pour rétablir un fragile équilibre entre les forces ennemies en Amérique du Nord, la France doit y expédier au moins 10 000 soldats avec leur équipement à bord de 100 voiliers. L'envoi d'une telle flotte est déjà impensable au début de 1759 à cause des risques de la navigation, et « il faut se réduire a traiter le Canada comme on traite un malade désespéré, qu'on soutient avec des cordiaux en attendant qu'il s'éteigne ou que peut-être une crise le sauve [...] »[5]. La pénurie de fonds, ces renseignements pessimistes en provenance d'officiers servant en Nouvelle-France, les événements de 1759 et la prise de Québec, tous ces faits ne sont pas de nature à inciter le ministère à tenter l'impossible. Louis XV répond aux demandes, en 1760, avec l'expédition de cinq navires de commerce, convoyés par la frégate marchande *Machault*.

Les campagnes du *Machault*

Course à la française

La première sortie, ou campagne, du *Machault* a lieu au début de l'année 1758. Sa police d'armement*, rédigée le 17 juillet 1757, précise qu'il s'agit d'un « armement en course »; son premier équipage, dont le rôle est terminé le 24 décembre 1757, s'engage « pour aller en course pendt. 3 mois de mer a la part »[6]. La mission de corsaire* du *Machault* est bel et bien établie. En période de conflit, la course, pour les Français, est une entreprise tout à fait légale, encouragée par le roi. Avant même la déclaration de la guerre en 1756, Louis XV promet de verser des primes variant de 100 à 300 livres pour chaque canon enlevé, et de 30 à 50 livres pour tout prisonnier capturé. Les récompenses varient selon le calibre des canons et la jauge des navires affrontés. Aux primes promises pour les captures effectuées s'ajoutent des engagements pris pour faciliter la construction de frégates de course. S'adressant aux armateurs bayonnais

5 Casgrain, H.R., *Collection des manuscrits de Levis, Lettres et pièces militaires, instructions, ordres, mémoires, plans de campagne et de défense 1756-1760*, Québec, Imprimerie J.L. Demers, 1891, vol. 4, p. 81-82.

6 France, Archives communales de Bayonne, registre de l'Amirauté, n° 37.

en novembre 1755, le roi offre de racheter tous les corsaires qu'ils construisent si la course n'est pas autorisée, ou dès sa cessation. Cette promesse favorise certainement la construction du *Machault*, sur les chantiers de Bayonne.

La frégate bayonnaise n'est pas le seul voilier privé à porter le nom *Machault* à l'époque. De 1756 jusqu'au début de 1758, la marine anglaise arraisonne quatre bâtiments français de 30 à 350 tonneaux connus respectivement comme *Machault* de Nantes, de Cherbourg, de Granville et de Dunkerque. À l'exception du voilier de 30 tonneaux, tous portent une dizaine de canons et trois de ces navires sont des corsaires. Le *Machault* de Bayonne prend apparemment la relève, mais passe tout près de ne jamais se livrer à la course car, un mois après la conclusion de sa première police d'armement, le roi révise ses politiques et défend la course aux particuliers. Cet interdit ne frappe heureusement pas tous les corsaires français. Le roi en excepte une douzaine, dont le *Machault*. Le corsaire bayonnais prend donc la mer et le 15 mars 1758, par 46° 30' de latitude nord et 3° de longitude ouest, il capture le *Pembroke*, un négrier anglais de 300 tonneaux. Venant de Liverpool et se dirigeant vers la Guinée, ce navire est manœuvré par 45 hommes d'équipage et armé de 16 canons. C'est la seule prise effectuée par le *Machault* lors de cette campagne. La vente du navire négrier et de ses agrès rapporte la somme de 24 000 livres aux armateurs du corsaire bayonnais, mais le prix de vente de la cargaison est inconnu. Les armateurs du *Machault* ont investi plus de 373 000 livres dans ce premier armement. De toute évidence, les bénéfices de l'opération compensent difficilement les investissements.

Les convois de 1759

Les interdits du roi et la non-rentabilité apparente de cette première campagne incitent ses propriétaires à vendre le *Machault* le 28 octobre 1758. Jean Lano Guéhéneuc, correspondant bayonnais du marchand de Bordeaux, Pierre Desclaux, s'en porte acquéreur pour la somme de 180 100 livres. Sa construction, l'année précédente, a coûté 179 600 livres. Les deux marchands agissent, en fait, pour le compte de Joseph Cadet, munitionnaire général du Canada. Ce dernier demande en effet à ses correspondants bordelais, Desclaux et La Tuillière, de lui procurer quatre frégates ou corsaires pour protéger les navires marchands qu'il fait venir à Québec en 1759. En plus de trouver les bâtiments d'escorte dont il a besoin, Joseph Cadet engage également un commandant d'expédition en qui il peut avoir confiance. Le 11 juillet 1758, à Québec, il s'assure en effet les services du lieutenant de frégate Jacques Kanon. Ce dernier touche 200 livres d'appointements mensuel, dispose de 50 tonneaux de fret répartis sur les navires de l'expédition, et peut monter la frégate de son choix.

C'est le *Machault*. Jacques Kanon prend la direction de la frégate à Bayonne et la conduit à Bordeaux, où se rassemblent les navires marchands du munitionnaire canadien. Escortant une quinzaine de navires, dont le *Bienfaisant* et le *Chézine*, le *Machault* quitte la rivière de Bordeaux le 10 mars 1759 en compagnie d'une autre frégate, le *Maréchal-de-Senneterre*, et, à la mi-mai, accoste en rade de Québec. La traversée se fait sans encombre, déjouant facilement l'escadre anglaise du contre-amiral Philipp Durell. L'équipage est apparemment exempt des maladies qui, dans les années précédentes, avaient fait de nombreux ravages dans les équipages de navires venant au Canada. L'Hôtel-Dieu de Québec, en mai et juin 1759, n'héberge que deux ou trois marins du *Machault*. La traversée permet aussi à la frégate de capturer deux voiliers anglais qui sont vendus à Québec.

L'arrivée de la flotte marchande de Cadet précède de quelques jours seulement la remontée du fleuve par les forces anglaises qui assiègent Québec en 1759. Pendant que la plus grande partie de son équipage assure du service à l'artillerie des remparts de Québec, le *Machault* remonte le fleuve jusqu'aux environs des Trois-Rivières. Pendant la durée du siège de Québec, il sert d'entrepôt de vivres et de munitions. En novembre 1759, le gouverneur Vaudreuil fait l'éloge de Jacques Kanon, commandant du *Machault* : « C'est Mgr un des excellents officiers marins que j'aie encore connu rien n'est à l'épreuve de son zèle pour le service du Roy »[7]. Ce zèle, il le démontre dans la

7 France, Archives nationales, Col, C[11]A, vol. 104, fol. 115v-116, Vaudreuil au Ministre, Montréal, 8-11-1759.

soirée du 24 novembre en appareillant pour la France. Ce départ n'est pas des plus faciles, puisque les bâtiments français doivent passer devant Québec et subissent toute la puissance du feu de l'artillerie anglaise. Le 23 décembre, après avoir capturé un navire ennemi, Kanon et le *Machault* arrivent finalement à Brest. Ils apportent au roi les demandes de secours du Canada. Le roi autorise l'expédition de 1760. La troisième et dernière campagne du *Machault* commence.

Commerce bordelais

Comme en 1759, l'expédition de 1760 origine de Bordeaux. En fait, de 1749 à 1755, environ 180 navires quittent Bordeaux pour Louisbourg et Québec. Ce total représente environ la moitié de tous les navires partis des six principaux ports de France à destination du Canada, pendant ces années. Les voiliers bordelais sont de même tonnage que les bâtiments des autres ports français, soit environ 175 tonneaux. Après 1755, les deux tiers des armements se font à Bordeaux et le tonnage moyen des voiliers bordelais augmente de 50 tonneaux en comparaison avec le tonnage relevé dans les autres ports. De l'avis de plusieurs historiens, les relations étroites existant entre certains négociants bordelais et la clique qui contrôle l'économie de la Nouvelle-France expliquent la prééminence prise par Bordeaux dans le commerce France-Canada et, conséquemment, l'origine de l'expédition de 1760. Cette explication, pour plausible qu'elle soit, ne semble pas complètement satisfaisante.

Le Canada a besoin de salaisons et de farines et il fait appel à Bordeaux parce que c'est la région de France qui, à cause de son réseau commercial et de son arrière-pays agricole, en est la mieux pourvue. Des bâtiments de fort tonnage sont nécessaires pour transporter ces farines et Bordeaux les possède en plus grand nombre pour ses échanges de produits lourds et encombrants avec les Antilles. La chute des armements en direction des îles, indiquée par la balance commerciale de la France avec ses colonies avec le début de la guerre de Sept Ans, libère certains navires au tonnage important et permet à Bordeaux d'expédier des produits pondéreux* au Canada. Pour armer ces navires, des avances de fonds importantes sont nécessaires. Les armateurs doivent être en bonne posture financière, d'où le choix des Gradis, Jauge, Desclaux et autres. Les liens d'amitié jouent peut-être, mais ils ne sont pas les facteurs uniques des relations commerciales Bordeaux–Canada.

Affrètement de navires

Replacée dans tout ce contexte, l'expédition en 1760 de six navires de bonne capacité, de Bordeaux au Canada, est plus facile à comprendre. Les 2000 tonneaux autorisés par le roi en 1760 sont donc répartis sur six bâtiments armés à Bordeaux par trois sociétés ou groupes de personnes distincts, mais qui tous possèdent des liens plus ou moins étroits avec Joseph Cadet, le munitionnaire du Canada. De façon générale, l'armateur de commerce doit trouver les bâtiments nécessaires à une expédition, les radouber* au besoin et les gréer pour le voyage. Il est responsable de l'engagement des membres d'équipage pour assurer la manœuvre des bâtiments et il rassemble surtout les marchandises nécessaires pour constituer les cargaisons. L'armateur assume donc les frais engendrés par de telles opérations et avance les argents requis. Il se procure ces argents par des emprunts « à la grosse* aventure », à des taux d'intérêt plus ou moins élevés, selon la destination des bâtiments et les risques du voyage[8].

L'armateur est habituellement propriétaire ou locataire des bâtiments de commerce qu'il expédie sur les mers. Il y charge ses propres marchandises ou exige un loyer ou fret des personnes qui veulent utiliser ses bâtiments. Le fret est calculé selon le nombre de tonneaux d'encombrement et est normalement payé sur livraison des marchandises. Des assurances couvrent les armateurs pour les pertes éventuelles des navires ou des marchandises; ils ne peuvent pas assurer le fret et les profits espérés. Pendant la guerre de Sept Ans, les primes d'assurances, qui ne dépassent pas les dix pour cent auparavant, grimpent à des taux prohibitifs, de 50 et 60 pour cent. Le loyer des bâtiments se rendant au Canada, pour sa part, s'élève parfois à 600 et 800 livres le tonneau. En 1760, il est fixé à 450 livres, dont 250 payables

8 Cavignac, Jean, *Jean Pellet commerçant de gros 1694-1772*, Paris, S.E.V.P.E.N., 1967. À lire pour comprendre l'organisation du commerce à cette époque.

avant le départ. Les commandes sont alors passées par le roi, qui acquitte le fret. Face aux périls de plus en plus grands de la navigation transatlantique et aux coûts prohibitifs des affrètements*, les négociants français perdent dès 1757 tout intérêt dans le commerce canadien. Tout au long de la guerre, d'ailleurs, le roi est devenu le principal affréteur des bâtiments de commerce destinés vers le Canada. Les bâtiments de la marine royale ne sont pas assez nombreux pour assurer le transport de tous les soldats, munitions et vivres que le roi expédie; l'État recourt donc aux bâtiments commerciaux.

Même si les loyers payés par le roi sont alléchants pour les armateurs, l'organisation de l'expédition de 1760 cause quelques problèmes. À la suite de mauvaises récoltes en Guyenne et de l'interdiction consécutive d'exporter les farines, les armateurs éprouvent beaucoup de difficultés à obtenir les farines que le roi veut expédier au Canada. Le problème le plus crucial, cependant, est de trouver les équipages nécessaires pour manœuvrer les bâtiments de l'expédition. À l'exception du *Machault*, qui exige plus de 150 marins, chaque bâtiment nécessite une quarantaine de membres d'équipage. Les difficultés surgissent surtout avec le *Machault*, car les membres de l'équipage refusent de se réengager s'ils ne touchent pas leurs salaires pour la campagne de 1759 au Canada. Les marins menacent alors de faire saisir la frégate et le ministre intervient auprès du Parlement de Bordeaux pour qu'il ne donne pas suite aux requêtes de l'équipage. Le groupe Desclaux-Bethmann, responsable de l'armement du *Machault* en 1759, est remplacé par le groupe de Ravesies et Cassan en 1760. Ce changement d'armateurs vise-t-il à redonner confiance aux matelots pour qu'ils se réengagent? Bien que difficile à documenter, l'hypothèse semble plausible.

Les cargaisons de 1760

Une fois résolues les difficultés matérielles et financières, les armateurs embarquent les marchandises sur les six bâtiments affrétés. Selon les relevés faits par les historiens Maupassant et Beattie, les cargaisons incluent notamment 6500 barils de farine, 3400 quintaux de viande ou 1700 barils; ces auteurs ne mentionnent pas de boissons. Ces vivres représentent à eux seuls un encombrement d'environ

1000 tonneaux, ou 50 pour cent du tonnage autorisé. Il faut ajouter à cela 200 tonneaux en couvertes et quincaillerie pour les Amérindiens; ces chargements comprennent également 10 500 paires de souliers, 2400 fusils, 6000 boulets de 12 à 4 livres, 500 bombes de 12 à 6 livres, 15 milliers de poudre, etc. Il est impossible d'évaluer exactement l'encombrement que représentent toutes ces marchandises et de savoir si les 2000 tonneaux de marchandises sont embarqués au complet. Les armateurs, par ailleurs, déchargent 1104 barils de farine du *Soleil*, du *Fidélité* et du *Machault*. Le retrait de ces farines signifie un encombrement d'environ 140 tonneaux en moins, ce qui diminue d'autant les envois vers le Canada. Selon une lettre du ministre de la marine, les cargaisons rassemblées à Bordeaux atteignent 2189 tonneaux.

Les états de cargaison conservés pour le *Soleil* et *l'Aurore*[9] établissent assez exactement l'encombrement de ces deux navires. Les cargaisons représentent en effet à bord de chacun des navires 84 pour cent de l'encombrement total des cales de ces bâtiments (tableau 1). Les six navires totalisent une jauge de 2424 tonneaux et, si l'on applique aux six un encombrement de 84 pour cent, les cargaisons occupent environ les 2000 tonneaux autorisés. Les armateurs réservent probablement les 400 tonneaux d'encombrement ou d'espace encore disponible pour expédier leurs propres marchandises. Les armateurs de *l'Aurore*, La Malétie et Latuillière, terminent leurs instructions au capitaine Desmortiers en lui recommandant « sil arrive heureusement en Canada de fournir a Monsieur Foucault premier Conseiller au Conseil Supérieur de cette Colonie, ce qui lui sera nécessaire pour sa provision en vin farine Lard & ce sur celles du navire qu'il commande »[10]. Foucault est le beau-père de l'armateur La Malétie. Le capitaine de l'*Aurore* possède en plus une pacotille personnelle. L'espace libre est bien rempli.

9 Londres, Public Record Office, High Court of Admiralty 32, liasse 165, papiers de l'*Aurore*, et 243 pour le *Soleil*.

10 Londres, Public Record Office, High Court of Admiralty 32, liasse 165.

Tableau 1 :
L'encombrement des cargaisons de l'*Aurore* et du *Soleil*

	Aurore (450 tonneaux)		*Soleil* (350 tonneaux)	
	Tonnage	Pourcentage	Tonnage	Pourcentage
Farine	175	46	137	46
Boissons	31	8	26	8
Viandes	63	17	69	24
Vivres (total)	269	71	232	78
Textiles	39	10	10	3
Habillement	11	3	8	2,50
Munitions	49	13	43	15
Outillage	4	1	1	0,50
Ustensiles	8	2	2	1
Marchandises sèches (total)	111	29	64	22
Vivres et marchandises sèches	380	100 (84)	295	100 (84)

Dans les deux cargaisons, les comestibles représentent 71 et 78 pour cent de l'encombrement des cales, soit l'élément le plus important de l'affrètement. Les boissons se chiffrent à un mince huit pour cent des envois totaux. Des textiles, des pièces d'habillement, des armes, de l'outillage et des ustensiles complètent les cargaisons. La distribution à peu près identique des diverses marchandises sur les deux navires est remarquable et faite à la demande des autorités. Les soldats, pour leur part, sont aussi répartis assez également. *L'Aurore* et le *Soleil* en comptent chacun 64 et 63 respectivement. Deux cents soldats atteignent Ristigouche à bord de trois bâtiments, et la frégate *Machault* en transporte un plus grand nombre que les autres bâtiments. Comme le *Soleil* et *l'Aurore* sont armés par deux groupes distincts, la répartition des marchandises est sans doute assez bien faite à travers toute la flotte. Fixer à 84 pour cent l'encombrement des cargaisons sur les six voiliers n'est pas loin de la réalité. Cet encombrement correspond aux 2000 tonneaux promis et inclut un fort pourcentage de vivres. Les quantités sont limitées, mais à l'intérieur des expéditions, la métropole respecte un ordre de grandeur souhaité au Canada.

Les acquits* à caution des deux navires indiquent qu'ils transportent aussi d'autres marchandises en plus de celles inscrites à l'état de cargaison. Ces marchandises sont les vivres de l'équipage et des objets nécessaires à la bonne manœuvre des bâtiments, comme de l'étoupe*, du brai*, de la toile à voile, et des cordages. On y retrouve également de l'osier, des feuillards*, du sel et, sur le *Soleil*, une futaille* de verres à boire. Ces objets font partie des victuailles de ces navires. L'acquit à caution de *l'Aurore* mentionne en outre des cartes à jouer, des barils de riz, des souliers de femme, et des mouchoirs de fil. Ces marchandises, en quantités limitées, ne font pas partie des victuailles de *l'Aurore*. Il s'agit vraisemblablement de la pacotille du capitaine. En exceptant les chaudrons indiqués dans les états de cargaison et la futaille de verres a boire, aucune donnée ne permet de supposer que ces navires transportent beaucoup de vaisselle.

Les trois voiliers qui atteignent Ristigouche représentent 1174 tonneaux de jauge. Les approvisionnements envoyés par le roi égalent donc un encombrement d'environ 1000 tonneaux. Les autorités en place distribuent les vivres aux Acadiens et aux soldats. Malgré les pertes subies pendant les combats du début juillet et un séjour de plus de cinq mois dans la baie des Chaleurs, les vivres ne sont pas épuisés en novembre. « We were employed till the 5th Novr in getting on board the stores from their magazines in which was 327 barrils powder, muskett ball, small shot, blankets coarse brown cloth, flour, pork, wine rum & brandy the particular quantity cannot ascertain there being a great deal more than the three schooners we had we could received on board »[11], écrit un officier anglais présent lors du rembarquement des soldats français stationnés à Ristigouche.

Lors de son entrée dans le golfe Saint-Laurent, le *Machault* capture cinq bâtiments anglais et transfère leurs cargaisons à son bord.

11 Doughty, Arthur G., éd., *An historical journal of the campaigns in North America for the years 1757, 1758, 1759 and 1760, by Captain John Knox*, Toronto, The Champlain Society, 1916, vol. 3, p. 418. « Nous fumes occupés jusqu'au 5 novembre à transporter à notre bord les provisions de leurs magasins consistant en 327 barils de poudre, de plombs et de balles de fusils. Quant aux couvertes brunes, à la farine, au porc salé et au vin, rhum et alcool, je n'en connais pas la quantité exacte, mais il y en avait beaucoup plus que ce que pouvaient contenir nos trois goélettes. » [traduction de l'auteur]

Ce témoignage du maître d'équipage du *Machault* peut expliquer la provenance de certains artefacts retrouvés lors des fouilles archéologiques. Avec les vivres, les navires et les armateurs qu'il possède, Bordeaux est le port le mieux préparé pour répondre aux demandes canadiennes. En 1760, les armateurs bordelais respectent leur contrat avec le gouvernement. Ils expédient les 2000 tonneaux de marchandises autorisés par le roi. Constituées aux trois quarts de comestibles, qui sont en majeure partie distribués aux Acadiens et aux Micmacs de Ristigouche, ces marchandises témoignent du désir de ravitailler la Nouvelle-France, de répondre à des besoins essentiels.

Commerce et pacotille

Les navires transportent également de la pacotille. C'est là un usage normal, même en temps de guerre. Ces pacotilles sont constituées surtout d'objets utilitaires à écoulement facile. Même si le contenu de certaines barriques peut être impressionnant, l'encombrement est limité. Retrouver de la vaisselle, même dans une expédition de secours, ne doit pas trop surprendre. Les prix indiqués pour ces marchandises en font des objets d'usage courant, sauf peut-être pour certaines pièces en porcelaine. Cette vaisselle n'est d'ailleurs pas nécessairement destinée au Canada. Tout au long de la guerre, les envois vers la colonie consistent surtout en des produits comestibles encombrants, d'où la nécessité de navires au tonnage plus élevé, alors qu'auparavant on y exporte surtout des produits manufacturés. Cette réorientation des exportations vers les comestibles rend sans doute nécessaire l'inclusion de produits manufacturés dans les pacotilles. Par ailleurs, les capitaines et les armateurs n'ont pas pour mission de sauver le Canada; ils ravitaillent le Canada sans négliger pour autant leurs intérêts.

La réponse métropolitaine aux demandes canadiennes, en 1760, est évidemment insuffisante. Les envois de vivres sont coupés par cinq et le contingent d'hommes par dix. Avec une augmentation très substantielle de sa population, coïncidant avec un recul marqué de sa production agricole, le Canada est affamé. Pour faire face à ses besoins, le trafic maritime doit certainement s'accroître; il ne fait que se maintenir tant que la flotte royale est présente sur l'Atlantique. La métropole ne peut faire plus. Sa marine militaire est impuissante et sa flotte marchande, décimée. Le commerce colonial français est en nette régression et les finances franchises en subissent les conséquences. En 1760, six navires seulement prennent la route du Canada. Trop peu, trop tard! Cependant les bâtiments de commerce sont rares, et l'envoi d'une petite flotte comporte moins de risques.

Assiégés à Ristigouche

L'arrivée des belligérants

À onze heures le mardi 8 juillet 1760, le *Machault* se saborde dans l'estuaire de la Ristigouche, au fond de la baie des Chaleurs (fig. 3). Depuis les 7 heures, deux frégates de la marine royale anglaise de 32 et de 20 canons respectivement, ainsi qu'une goélette de quatre canons le soumettent à une violente canonnade. À dix heures, le commandant du *Machault*, François Chénard de la Giraudais, amène ses couleurs. À court de munitions, pris dans une impasse et incapable de tout mouvement tactique, il fait sauter son bâtiment au lieu de le livrer à l'ennemi. Une heure plus tard, le *Bienfaisant* l'imite. C'est avec ces explosions que prend fin le dernier engagement naval à se dérouler dans les eaux nord-américaines avant la capitulation de la Nouvelle-France à Montréal, le 8 septembre 1760. Le sort de la dernière expédition de secours métropolitains vers le Canada est scellé à jamais.

Précédés dans le Saint-Laurent par quelques voiliers anglais, les trois bâtiments français partis de Bordeaux le 10 avril se réfugiaient dans la baie des Chaleurs vers le 20 mai. Les ordres prévoyaient plutôt, si le fleuve était bloqué, un détournement vers la Louisiane. La nécessité de refaire les approvisionnements d'eau potable et le désir de faire parvenir des nouvelles aux autorités canadiennes en envoyant des messagers à Vaudreuil et à Lévis les y pousseront. En s'avançant dans la baie des Chaleurs, le corps expéditionnaire français y rencontre environ un millier d'Acadiens cachés dans les bois depuis 1758 et affamés, pour la plupart. Les trois voiliers bordelais sont rejoints ou précédés dans la baie par plusieurs bâtiments acadiens de pêche et de cabotage, de type brigantins, goélettes et bateaux. Les équipages, installés provisoirement sur les rives de la Ristigouche

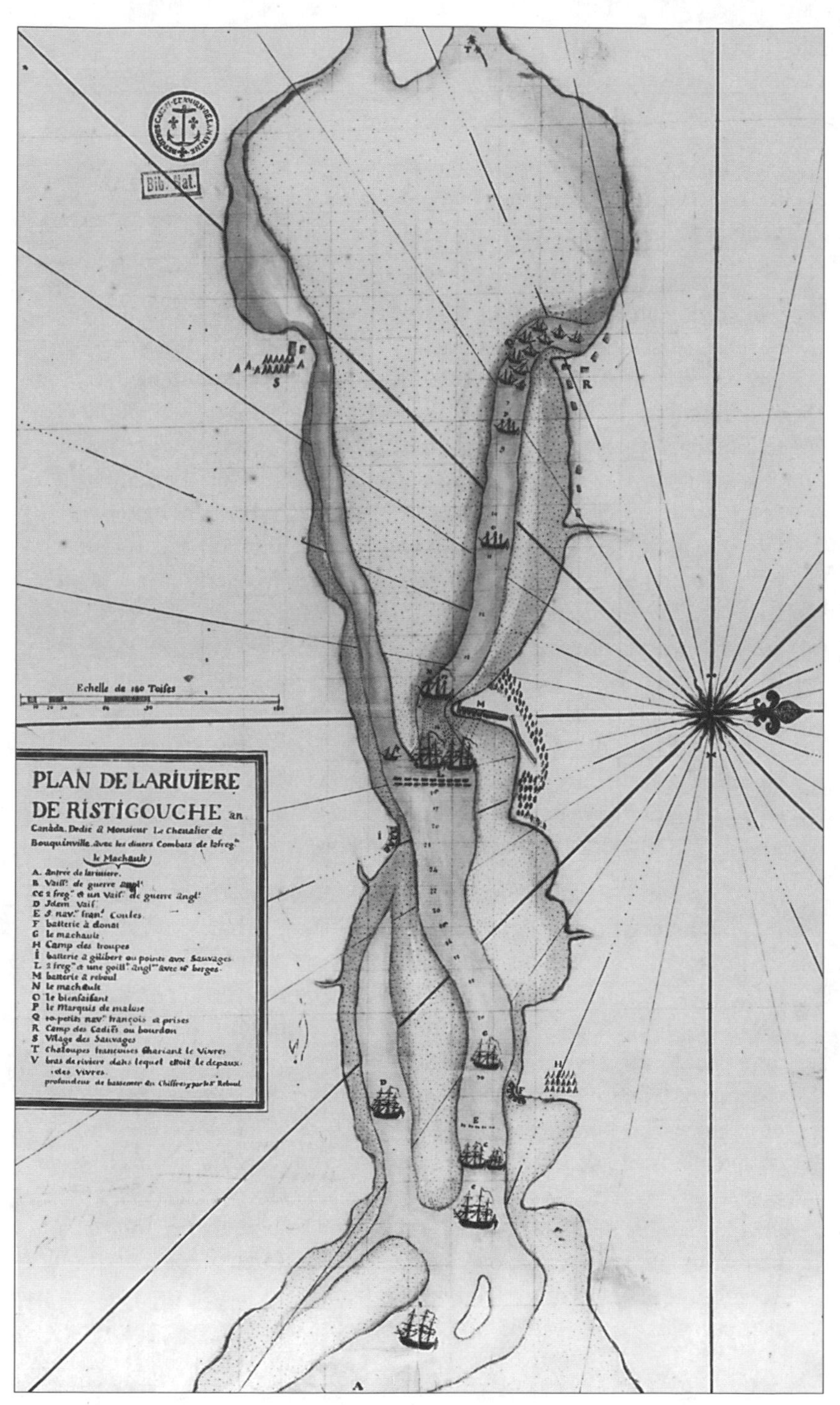

3 Plan de la Rivière Ristigouche en 1760 indiquant les combats du *Machault* et activités du siège. *Archives nationales du Canada, Ph 210 R. [1760].*

pour refaire leurs forces, passent les mois de mai et juin à explorer les côtes, à faire des relevés hydrographiques et à pourchasser les petits bâtiments anglais.

Informés de la présence française dans la baie des Chaleurs, les Anglais s'y amènent à la fin juin avec trois vaisseaux et deux frégates depuis Louisbourg. Les bâtiments anglais, qui disposent de 256 canons environ et que manœuvrent 1850 hommes au total, sortent du port de Louisbourg le mercredi 18 juin. À la puissance de feu anglaise, les Français opposent les 26 canons du *Machault*, les 16 du *Bienfaisant* et les 12 du *Marquis-de-Malause*. À son départ de Bordeaux, le *Machault* est armé de 20 canons de 12 livres et de 6 pièces de 6 livres. Deux cents soldats et environ 250 matelots assurent la défense de ces bâtiments commerciaux. Le corps expéditionnaire français compte aussi sur 300 Acadiens et quelque 250 Micmacs en état de porter les armes. Après un premier accrochage le 22 juin qui permet aux Anglais de s'emparer d'une goélette acadienne, les hostilités reprennent le 28 juin par un échange de coups de canons entre le *Fame* et une batterie côtière. Érigée sur la rive nord de la baie des Chaleurs, cette batterie est forte de six canons provenant du *Machault*. Elle est protégée par une ligne formée de cinq petits voiliers coulés un peu en aval afin d'empêcher l'avance de l'ennemi.

Alors que les bâtiments français possèdent un tirant d'eau leur permettant de se déplacer assez facilement dans la baie des Chaleurs, les trois vaisseaux anglais ne peuvent en faire autant. À cause de ces difficultés de navigation, l'*Achilles* de 60 canons et le *Dorsetshire* de 70 ne prennent aucune part directe aux hostilités qui éclatent peu après leur arrivée dans la baie. Ils stationnent à Pointe-Goacha (Miguasha). Cette non-participation élimine par conséquent 130 canons et environ 700 hommes; les deux voiliers continuent cependant de bloquer la sortie de la baie des Chaleurs. Tout en étudiant les routes possibles et repérant les fonds sous-marins, les forces françaises placent également des détachements de soldats à quelques endroits de la côte pour surveiller et gêner l'avance anglaise. Leurs connaissances géographiques et hydrographiques de la baie des Chaleurs représentent pour les Français autant d'avantages tactiques, en leur faveur.

Le siège

La canonnade du *Fame* contre la batterie de Pointe-à-la-Garde (Escuminac) se poursuit jusqu'au 3 juillet pendant que le *Repulse* et le *Scarborough*, en compagnie d'une goélette, essaient de trouver un chenal pour tenter de rejoindre les bâtiments français ancrés en amont*. Après avoir réduit au silence le dernier canon de la batterie dirigée par Donat de la Garde, second capitaine sur le *Machault*, les Anglais y envoient un détachement afin de brûler les habitations que les Acadiens ont érigées à cet endroit et abandonnées pendant l'attaque du *Fame*. Le 5 juillet, les deux frégates anglaises et la goélette se fraient un chemin à travers les épaves pour se retrouver devant deux autres batteries construites sur chacune des rives de la Ristigouche. Il s'agit des batteries Gilbert, constituée de trois canons de 4 livres (à Campbellton) et Reboul, comprenant trois canons de 12 livres et deux de 6 livres (à Pointe-à-la-Croix); deux officiers du *Machault* les commandent. Une nouvelle chaîne, formée par cinq bâtiments coulés sur les ordres de la Giraudais, empêche d'atteindre les trois bâtiments français immobilisés derrière.

Les Anglais attaquent d'abord la batterie sise sur la rive sud, mais devant la résistance française et les difficultés de navigation, ils ne réduisent les canons français au silence que le 7 juillet au soir. Le lendemain, à l'aube, les trois bâtiments anglais réussissent à se glisser à travers les épaves et se retrouvent à une demie portée de canon du *Machault*. Jusqu'alors, la participation du *Machault* et de son commandant aux hostilités s'est limitée à placer des canons en batterie sur la côte et à protéger le retrait tactique des deux navires marchands dans l'estuaire de la rivière Ristigouche. Tout l'espoir des Français repose sur le fait que les Anglais ne sachent les y rejoindre. Le 8 au matin, enfermé dans une impasse à 300 mètres des forces adverses, le *Machault* doit combattre ou se rendre (fig. 4). Appuyé par la batterie de la rive nord, il lutte. Au moment de l'engagement, il n'y a que 14 canons montés sur le *Machault*, dont trois côté tribord. L'attaque, dirigée par le *Repulse*, se fait sur bâbord. L'issue est prévisible.

Pris au piège

Il semble étonnant que les Français, disposant au point de départ de certains avantages tactiques, s'enferment dans un piège sans issue.

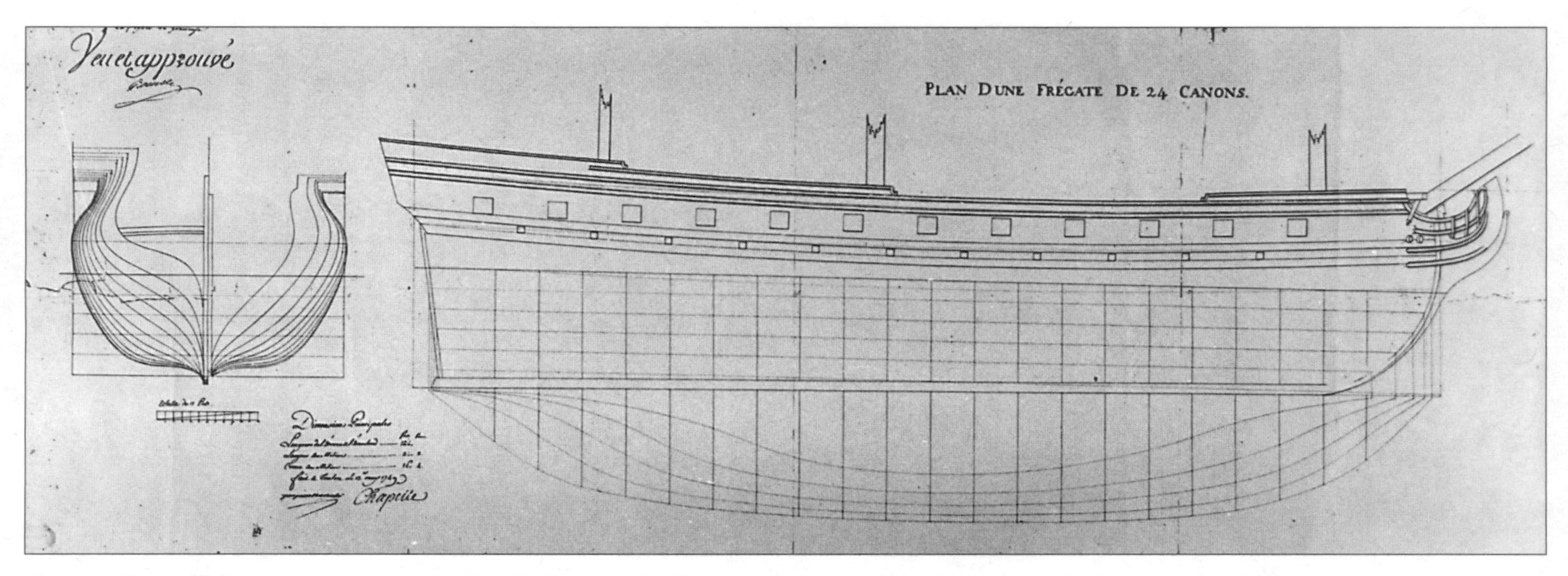

4 Plan d'une frégate de 24 canons de 12 livres : la *Gracieuse. Archives maritimes de Toulon, 1L 442.*

On peut également reprocher aux Français de ne pas profiter de certaines circonstances, comme un échouement momentané du *Fame* le 25 juin, pour tenter une attaque, d'opter toujours pour la défensive. Il faut reconnaître cependant que certains avantages tactiques attribués aux Français sont peut-être plus théoriques que réels. Au moment de son échouement, le *Fame* devient sans doute incapable de tout mouvement, mais cette immobilisation ne réduit pas ses canons au silence. Si les Français, avec des bâtiments plus mobiles, tentent un abordage, ils risquent de recevoir toute la bordée de ce vaisseau. Et d'ailleurs, du haut de ce deux-ponts, les soldats anglais peuvent facilement balayer les ponts des goélettes et brigantins acadiens de leur tir. Vu la puissance de feu du *Fame*, les chances de réussite d'un abordage sont assez aléatoires.

Les connaissances hydrographiques des Français, tout comme le faible tirant d'eau de leurs voiliers, facilitent sans doute leurs déplacements, mais dans une seule direction, soit vers l'intérieur de la baie des Chaleurs. Si les bâtiments français tentent une sortie, ils courent le risque de croiser des forces nettement supérieures. En se repliant, les Français peuvent toujours espérer ne pas être rejoints; tôt ou tard cependant, le piège se referme sur eux. Les Français disposent également de pied-à-terre sur la côte, mais les batteries qu'ils y installent ne comptent jamais plus de six canons. C'est bien peu pour faire face au feu d'un vaisseau de 74 canons. La mobilité terrestre des troupes françaises est également, compte tenu du terrain et de la forêt en Gaspésie, assez limitée.

Forces et faiblesses

Même en éliminant les canons de *l'Achilles* et du *Dorsetshire*, l'artillerie anglaise demeure nettement supérieure. Elle est toujours numériquement le double de la française et le calibre de ses canons l'avantage encore plus. Les bâtiments français comptent beaucoup moins de pièces d'artillerie que les voiliers anglais et, de plus, le calibre de leurs canons est en général moindre. La portée des canons français, tout comme leur efficacité au point d'impact, sont évidemment inférieures. En plus des canons du *Repulse* au calibre de 12 livres, le *Fame* porte des canons de 32 et de 18 livres. Le canon français de 36 livres a une portée de 575 verges (526 mètres), celui de 12 livres, 295 verges (270 mètres). Face à la supériorité numérique anglaise en voiliers, hommes et artillerie, les Français n'ont d'alternative que le repli en rivière tant que leurs voiliers peuvent s'y frayer un chemin.

Numériquement, et abstraction faite des équipages du *Dorsetshire* et de *l'Achilles*, les forces françaises et anglaises s'équilibrent sans doute. Les états physique et psychologique des deux troupes sont certainement moins bien partagés. Alors que les soldats et marins anglais sortent du port de Louisbourg le 18 juin, à l'annonce de l'arrivée des Français dans la baie des Chaleurs, ces derniers ont quitté Bordeaux le 10 avril. Après huit semaines de traversée, à l'étroit sur des navires de 400 et de 500 tonneaux, ils atteignent la baie des Chaleurs. Un millier de réfugiés acadiens, qui ont souffert de la faim tout l'hiver et qui exigent peut-être plus de soins qu'ils ne peuvent donner de soutien, sont là pour les accueillir. Après une installation sans doute pénible, et devant probablement lutter contre les insectes tout au long de juin, la force française n'est certainement pas très reposée à l'arrivée des Anglais. C'est d'ailleurs par une température particulièrement maussade qu'assiégés et assiégeants se font face du 25 juin au 8 juillet[12].

Les Français occupent peut-être une bonne position défensive, mais ils ne possèdent pas l'armement et les munitions pour l'assurer. À Ristigouche, les forces françaises retraitent en rivière tant que leurs voiliers peuvent s'y frayer un chemin. Prises au piège, elles offrent une résistance héroïque à des forces nettement supérieures. Le refus de La Giraudais de passer à l'offensive n'est pas attribuable à un quelconque esprit défaitiste. Le combat du 8 juillet au matin démontre tout le contraire. Le choix d'une attitude défensive s'inscrit plutôt dans le prolongement d'une politique de replis tactiques observée par la marine française depuis le début de la guerre de Sept

12 Les journaux de bord quotidiens des cinq bâtiments anglais font mention de brume, de pluie, et d'orages pendant toute cette période, sauf pour un beau 2 juillet. Londres, Public Record Office, Admiralty 51, vol. 262, 866, 3747, 3830, 3952.

Ans. Toutes les instructions données aux commandants de vaisseaux français contiennent régulièrement la recommandation d'éviter les rencontres avec les bâtiments anglais et de ne combattre que pour sauver l'honneur. Lorsqu'un capitaine croit posséder une position de nette supériorité, il autorise le combat uniquement après avoir pris les positions les plus avantageuses. À Ristigouche, il faut sauver l'honneur, oublier les mouvements tactiques. Et le 8 juillet, à 400 km de Ristigouche, Murray s'embarque à Québec avec 4000 hommes de troupe sur 52 bâtiments, en direction de Montréal. Le 8 septembre 1760, la capitulation de la Nouvelle-France n'est plus loin. La description de tous les bâtiments et l'évaluation de leurs moyens d'attaque ou de défense nous font pénétrer dans l'univers maritime des réfugiés de Ristigouche et mieux comprendre le déroulement des évènements du siège et son issue.

Navires et univers maritime

Sur la table à dessin

Des constructeurs compétents

Les données techniques sur l'aspect structural du *Machault*, tout comme sur les navires marchands qu'il escorte en 1760, sont assez limitées. Jaugeant 550 tonneaux, le *Machault* est une frégate qui mesure 108 pieds[13] de quille portant sur terre et 32 pieds de largeur au maître bau*. Il y a un faux-pont dans la cale. Son tirant d'eau, chargé, est de 14 pieds et demi. Il possède 24 canons de calibre 12 sur son pont et 2 canons de 6 livres sur le gaillard*. Le voilier est donc percé de 12 sabords* de chaque côté au niveau du pont. Le *Machault* est construit à Bayonne en 1757. Sa construction est une réalisation du charpentier de navire Jean Hargous, selon des plans préparés par le constructeur des vaisseaux du roi, un certain Geffroy. Bien que le devis* de construction du *Machault* ne soit pas disponible, on dispose par contre d'un autre devis (append. B) préparé selon les plans de Geffroy « constructeur pour le roi en ce port » pour la construction « d'une frégate de 24 canons de 12 livres en

13 Le pied utilisé dans le texte est l'ancien pied français qui correspond à 1,066 pied anglais, ou 32,5 centimètres. Il faut excepter de cette règle générale la section intitulée « Restitution du *Machault* » ainsi que certains tableaux dont les données proviennent d'archives anglaises, où le pied anglais (30,5 cm) est utilisé.

une batterie* propre pour la course »[14] et dont l'exécution fut confiée à Joseph Laporte, maître constructeur de Bayonne, en 1757. Il semble assez plausible de croire que la construction du *Machault* et son aménagement soient réalisés suivant un devis semblable, l'architecte étant de toute évidence le même.

Les études sur l'architecture navale française révèlent qu'à l'époque de la construction du *Machault*, deux nommés Geffroy étaient constructeurs royaux. Il s'agit de P. Geffroy, l'aîné, et de J. Geffroy, le cadet, qui sont particulièrement actifs entre 1750-1770, dans la région de Brest surtout. Ils sont les fils de François Geffroy, constructeur naval à Brest, et les petits-fils d'un autre constructeur, G. Hélie. Les Geffroy construisent surtout des frégates et en lancent quatre entre 1751 et 1755. Ces bâtiments sont la *Thétis*, l'*Héroïne*, l'*Améthiste* et la *Licorne*; ces quatre dernières frégates portent 24 ou 26 canons de calibre 8 et mesurent de 114 à 120 pieds de long. L'aîné ou le cadet des Geffroy est inévitablement l'auteur des plans du *Machault*. Les listes de constructeurs royaux dressées par l'historiographie française semblent suffisamment exhaustives, tout comme le champ de spécialisation des deux fils Geffroy, pour tirer une telle conclusion.

Les qualités nautiques attribuées à deux des frégates des Geffroy concordent avec l'image générale des frégates françaises de la période. La *Licorne*, par exemple (fig. 5 et 29), gouverne très bien et bouline* bien dans une chasse, pendant que la *Thétis* marche bien au largue* et vent* arrière, selon leurs commandants respectifs; leurs qualités de marche dépendent beaucoup des allures et elles éprouvent malheureusement des difficultés au plus près*. Au début des années 1750, Duhamel du Monceau confie à Geffroy, sous-constructeur à Brest, le soin d'entreprendre des expériences sur la densité des bois du Canada et de France destinés à la construction navale. Pendant la construction du *Célèbre* de 64 canons par Geffroy l'aîné, l'architecte naval F.H. Chapman est un observateur attentif. C'est à la demande de Louis XV que l'intendant de marine de Brest, Gilles Hocquart, facilite au visiteur suédois l'accès au chantier du *Célèbre*

14 France, Archives de la Chambre de commerce de la Rochelle, carton XXII, dossier 3, nº 7460.

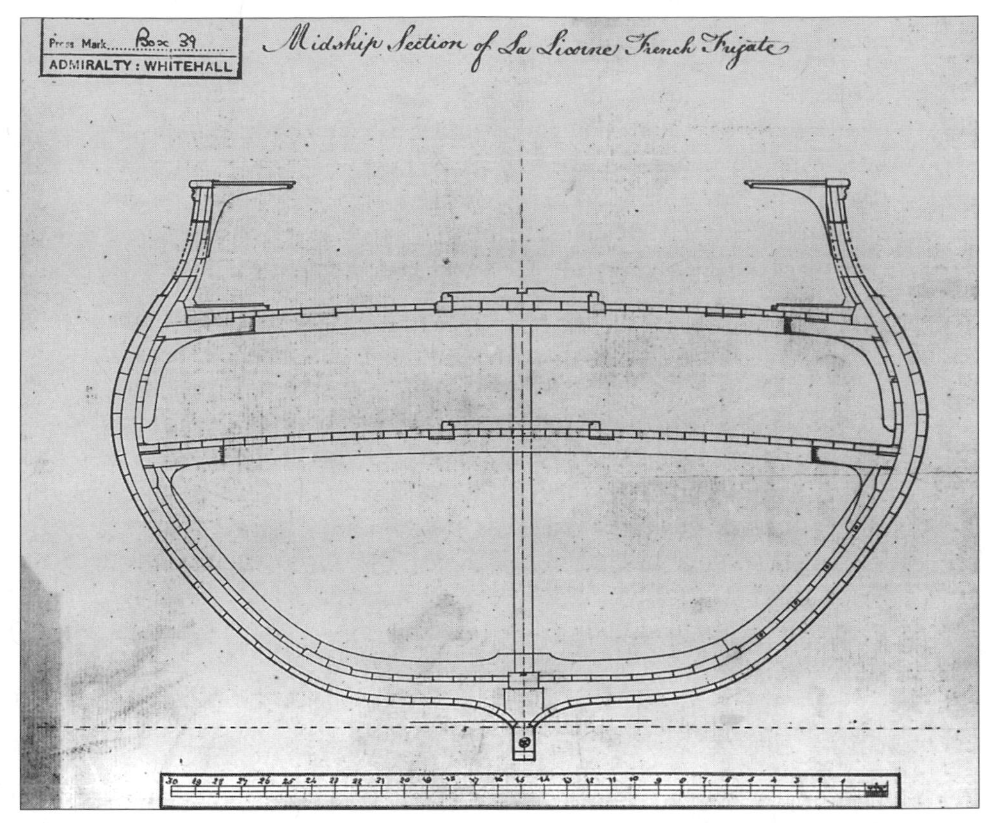

5 Plan du couple central de la *Licorne,* frégate française œuvre de Geffroy l'aîné, capturée par les Anglais en 1778. *National Maritime Museum, Londres, 6213/39.*

et à son constructeur attitré. Chapman y acquiert la conviction que le vaisseau de 64 canons doit être le principal élément de la flotte de guerre suédoise. Dix ans plus tard, il publie son fameux *Architectura Navalis Mercatoria*. La qualité des travaux des Geffroy, tout comme l'influence exercée, garantit la fiabilité de construction du *Machault*. Les plans de cette frégate sont de toute évidence une réalisation d'une famille de spécialistes, de gens avertis en architecture navale.

Bien qu'affrétés par le roi, tous les navires français présents à Ristigouche, qui affrontent cinq bâtiments de la marine royale anglaise, appartiennent à des intérêts privés. Tous ces voiliers sont construits sur charpente* première, bordés* et vaigrés* à franc* bord ensuite. Le devis bayonnais de 1757 (append. B) mentionne certaines essences de bois utilisées, comme le chêne pour certains bordages de la coque, des planches de pruche et de sapin pour les ponts et les faux-ponts*. Selon les données archéologiques, les membrures* du *Machault*, les planchers et les bordés intérieurs et extérieurs sont en chêne rouge (*quercus rubra*). En suivant les différentes étapes des travaux au chantier naval, on découvre les principales divisions des voiliers ainsi que leur utilisation. L'archéologie peut-elle confirmer les données théoriques ou faire état de variantes assez prononcées? Le confort est-il possible ou limité sur ces bâtiments? Les similitudes entre le devis bayonnais de 1757 et celui, contemporain, de Pierre Morineau pour la construction d'une frégate de 26 canons de calibre 12, destinée à la marine royale, suggèrent peu de différences entre frégate privée et frégate royale. Les distinctions entre construction navale française et anglaise sont-elles plus élaborées?

Typologie navale

Les voiliers présents à Ristigouche portent diverses appellations, dont la simple définition permet déjà d'en cerner quelques caractéristiques importantes. Les bateaux, goélettes, et brigantins acadiens et anglais, les navires et frégates français, les vaisseaux et frégates anglais, qui s'affrontent dans la baie des Chaleurs, possèdent chacun en effet des éléments bien distinctifs. C'est avant tout par le gréement* que se distinguent et se définissent bateaux, goélettes et brigantins. Le bateau est un bâtiment à un seul mât portant une voile aurique*; ceux présents à Ristigouche n'excèdent pas 90 tonneaux. La goélette, d'une capacité habituellement inférieure à 100 tonneaux, possède deux mâts inclinés sur l'arrière munis de voiles auriques. Le brigantin, également à deux mâts et qui atteint parfois les 150 tonneaux, a un grand mât penché vers l'arrière avec voile aurique et un mât de misaine* et traits* carrés incliné sur l'avant. Ces trois types d'embarcations ont aussi des beauprés*. Au XVIIIe siècle, tout bâtiment à poupe carrée, gréant trois mâts et un beaupré, est un navire. Le tonnage de ces bâtiments est habituellement supérieur à 150 tonneaux. Cette description est donc inclusive des termes vaisseaux et frégates et convient aux marines royale comme privée. À Ristigouche, le *Bienfaisant* et le *Marquis-de-Malause* sont des navires de commerce.

Depuis la seconde moitié du XVIIe siècle, Anglais comme Français classent leurs bâtiments de guerre en vaisseaux de différents rangs selon le nombre de canons qui les arment. Les frégates occupent le dernier rang, soit le cinquième en France et le sixième chez leurs éternels concurrents. Si, dans les deux nations, le nombre de canons qui arment les vaisseaux permet de les distinguer les uns des autres et de les classer en divers rangs, le statut des frégates est un peu différent. Les Anglais classent toujours les frégates par le nombre de canons tandis que les Français les différencient par le calibre des canons. Le *Fame* de 74 canons, le *Dorsetshire* de 70 canons et *l'Achilles* de 60 canons appartiennent au troisième rang de vaisseaux dans la classification anglaise. Au centre de cet examen, le *Machault*, avec 24 canons de calibre 12 en batterie sur son pont supérieur, est une frégate de commerce de calibre 12. Le *Repulse*, ou ex-*Bellone*, est originellement une frégate de calibre 8. Toutefois à Ristigouche, réarmée par les Anglais après sa capture en 1759, elle devient une frégate de 32 canons de calibre 12 principalement. Le *Scarborough* est une frégate de 20 canons, au sixième et dernier rang des vaisseaux. Toutes les définitions du terme frégate concordent pour en faire un bâtiment léger où importe surtout la rapidité. Sa marche doit lui permettre d'éviter les vaisseaux. La frégate n'a donc pas besoin d'une charpente forte pour résister aux effets de l'artillerie. La frégate ne se bat pas en ligne, elle sert plutôt d'éclaireur, porte secours et protège les convois.

Chez les Français, Blaise Ollivier, théoricien et constructeur naval dans les années 1730, conçoit la frégate d'une seule batterie comptant de 24 à 30 canons de calibre 8 plus stable et moins lourde que la frégate à deux ponts du début du siècle. La France lance une trentaine de frégates de cette puissance avant la guerre de Sept Ans. Les difficultés de la guerre de Succession d'Autriche et les pertes navales aux mains des Anglais font réaliser la faiblesse de bâtiments armés de canons de calibre 8 seulement, face à des bâtiments portant souvent des canons de calibre 12. La mise au rancart de frégates à deux ponts, trop lourdes et armées de canons de 12 livres à leur batterie basse, incite à construire des frégates semblables à celles de calibre 8 (fig. 1) et pouvant servir d'intermédiaires entre les vaisseaux de 50 canons armés de canons de 18 livres et les frégates de calibre 8. Des frégates, à batterie unique armées de 24 ou 26 canons de calibre 12, apparaissent à compter de 1748. La marine royale ne construit que six de ces frégates avant 1760, dont deux seulement de 24 canons. La construction à Bayonne, par des intérêts privés, de deux frégates à batterie unique de 24 canons de 12 livres en 1757 indique bien que la marine marchande évolue au rythme de la marine royale, avec ses hésitations comme ses nouvelles expériences. Le *Machault*, portant du canon de 12 livres en une batterie, est une de ces frégates.

Entre théorie et devis

Les années qui voient la construction du *Machault* correspondent à une période d'activité assez intense en construction navale française. Après les travaux de Blaise Ollivier, Pierre Bouguer avec son traité du navire vers 1742 permet aux constructeurs de connaître le centre de gravité des navires et d'en calculer la stabilité. La publication en 1752, par Duhamel du Monceau, de son traité d'architecture navale et ses expériences sur la densité des bois et l'action de la vapeur pour les courber, les travaux de Pierre Morineau sur la construction navale pendant cette même décennie, constituent autant d'œuvres inspirant les constructeurs de navires. L'ouverture en 1741 d'une école d'architecture navale que fréquentent la plupart des constructeurs élargit les champs de connaissance. Ils commencent à recourir plus systématiquement aux plans et devis. Ces plans existent depuis 1690 environ. Les plans du *Machault*, œuvre d'un constructeur du roi, démontrent que cette frégate, voilier privé, s'apparente certainement aux frégates royales. Malgré des efforts théoriques, la construction navale demeure un art; les formes de carène* échappent aux calculs et, même avec certaines règles fixant les dimensions principales, il n'y a pas de plan type.

Un plan de frégate daté de 1750, soit celui de la *Gracieuse* (fig. 4) avec sa batterie de 12 sabords par côté et malgré une construction méditerranéenne où les sabords d'aviron sont beaucoup plus fréquents, illustre sans doute le mieux les profil et coupe du *Machault*. Il suffit d'en éliminer les sabords d'aviron. Tous les plans des constructeurs, au XVIIIe siècle, respectent les mêmes dispositions graphiques. Une vue en profil (longitudinale) montre la quille, l'élancement de l'étrave*, la quête* de l'étambot*, l'alignement des membrures, l'emplacement des préceintes* et des sabords, les lignes du navire jusqu'à la flottaison, et parfois certaines divisions intérieures. Une vue en coupe (transversale) représente les membres du navire avec l'avant sur la droite et l'arrière à gauche. Chez les Anglais principalement, il existe également des vues en plan, à vol d'oiseau, des ponts de navires (fig. 6 et 7). La *Gracieuse* est une frégate de 24 canons de calibre 12, tout comme le *Machault*, et mesure 124 pieds de longueur, 32 pieds 8 pouces de largeur et 16 pieds 4 pouces de hauteur. La distance entre sabords, mesurée sur le plan, est d'environ 6 pieds 6 pouces. Ces dimensions sont comparables à celles des frégates analysées au tableau 2.

Dimensions et proportions

La frégate de course de 1757 et l'*Hermione* portent du calibre de 12 tandis que des canons de 8 livres arment la *Comète* et la *Bellone-Repulse*. À l'exception de la frégate de course, toutes sont des frégates de 26 canons en batterie. Si les largeurs et creux[15] varient assez peu

15 Le calcul des dimensions constitue une des grandes difficultés de l'analyse architecturale à l'époque de la voile. Selon les chantiers, les marines marchande et royale, et aussi selon les pays, les longueurs se mesurent soit à la ligne de flottaison, soit au niveau du pont supérieur, ou soit de l'extrémité d'étrave à celle d'étambot (lht). Les largeurs au maître-bau sont prises hors membrures ou hors bordages. On retient surtout la première. La hauteur est calculée le plus souvent du dessus de la quille jusqu'à la ligne droite au dessus du maître-bau dans la marine royale, ou au dessous dans la marchande. Jean Boudriot, *La Frégate, Marine de France, 1650-1850*. Paris, ANCRE, 1993, p. 46.

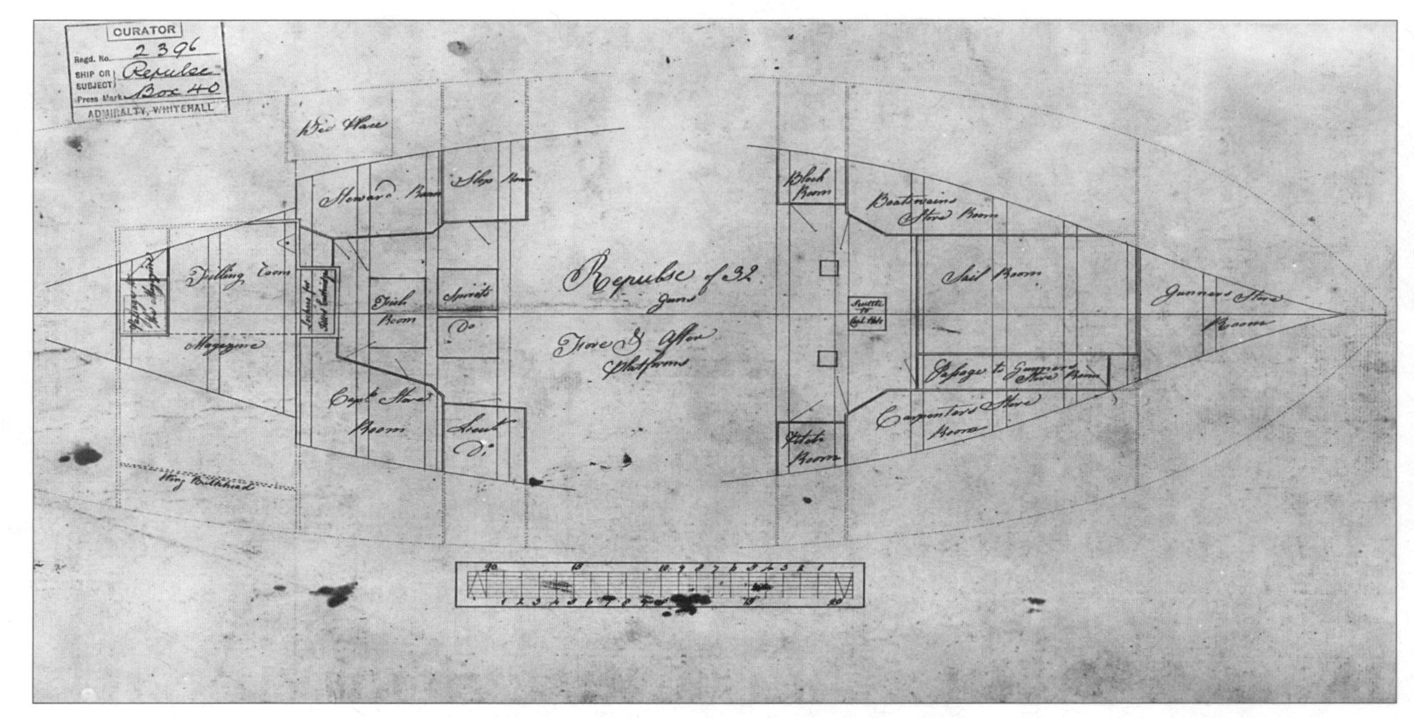

6 Plan des plates-formes avant et arrière en cale du *Repulse. National Maritime Museum, Londres, 2396/40.*

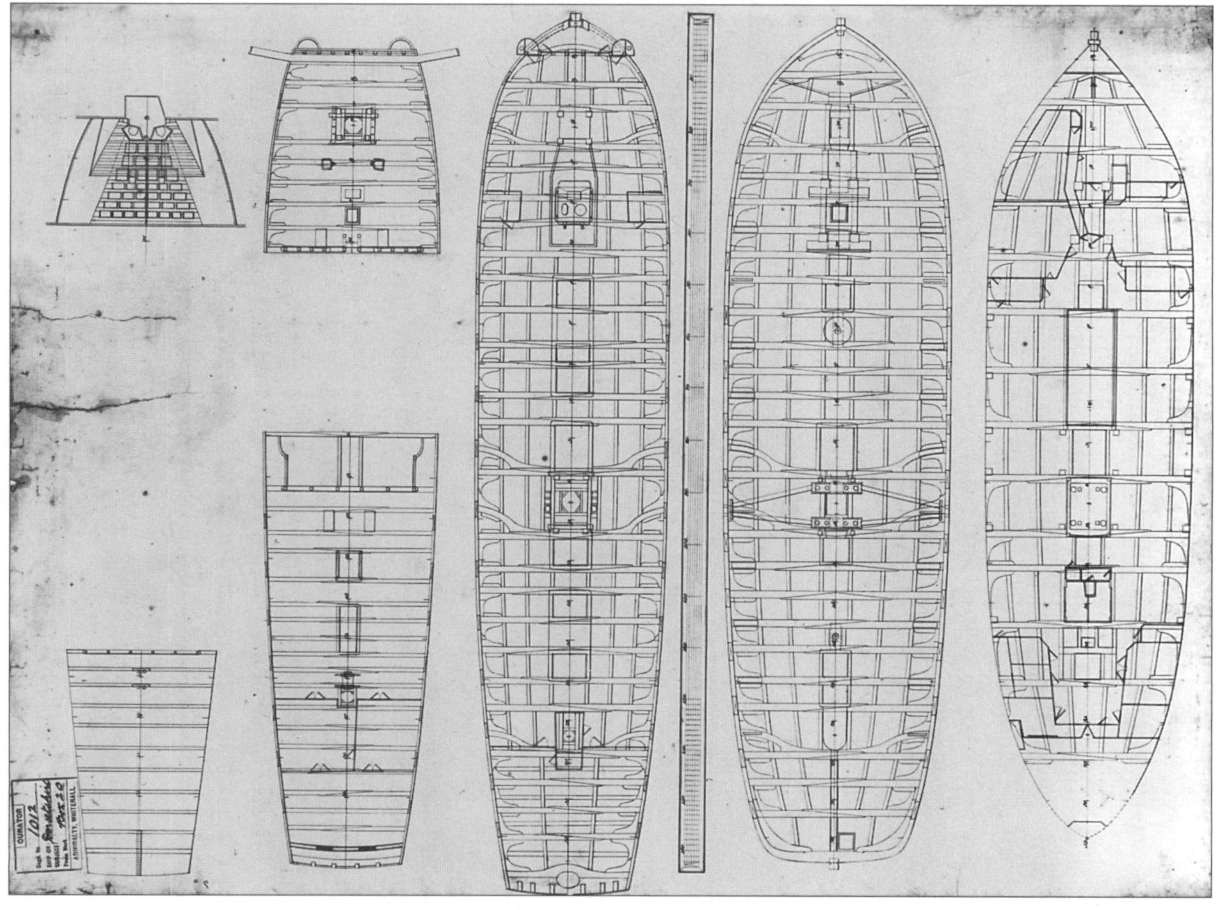

7 Vue en plan des différents ponts du *Dorsetshire. National Maritime Museum, Londres, 1012/20.*

entre différents calibres, les longueurs se distinguent un peu plus, avec 8 à 10 pieds d'écart. Le nombre de canons en batterie et leur calibre influencent évidemment la longueur. Dans un de ses traités, Pierre Morineau propose la construction d'une frégate de 26 canons de calibre 12 mesurant 126 pieds de longueur hors tout. Il place le premier sabord à 15 pieds de l'étrave, établit une distance de 6 pieds entre sabords et une largeur de sabords de 28 pouces et localise le dernier sabord à 8 pieds et demi de l'arrière. Cela donne précisément 125 pieds 9 pouces de longueur. Dans le cas du *Machault*, la restitution de Ristigouche laisse supposer un entre sabord supérieur à 6 pieds et indique une largeur de sabord de 28 pouces. Sur le plan de la *Gracieuse*, l'entre sabord est de 6 pieds et demi. Avec les règles de Morineau et le plan de la *Gracieuse*, on peut déduire une longueur d'environ 124 pieds pour le *Machault*.

Les proportions établies entre longueur et largeur, au tableau 2 toujours, soulignent que la frégate de 12 livres est plus élancée que celle de 8 livres. La première possède également un creux légèrement plus prononcé que la seconde. La frégate de course bayonnaise, exécutée sur les plans de Geffroy comme le *Machault*, affiche un rapport longueur/largeur de 3,94. Cette donnée, appliquée au *Machault* et ses 32 pieds de largeur, confère à la frégate une longueur de 126 pieds de la perpendiculaire d'étrave à celle d'étambot. Dans ses études sur la construction navale et ses relevés sur les frégates françaises de 1740 à 1820, Martine Acerra déduit trois cœfficients longueur/largeur selon l'origine géographique des constructions pour les frégates de 12 livres. Ces proportions sont toujours supérieures à 3,80. Le modèle le plus allongé est le type atlantique, construit de Nantes à Bayonne, avec un rapport variant entre 3,94 et 3,98. La longueur hypothétique du *Machault*, de construction atlantique, semble donc assez juste. Avec 108 pieds de quille et 126 pieds de longueur, l'élancement de l'étrave et la quête de l'étambot du *Machault* s'établit ainsi à 18 pieds. La quête de l'étambot représentant le plus souvent la cinquième partie de l'élancement, on l'établit pour le *Machault* à entre 2 et 3 pieds. L'examen des vestiges de l'étrave et l'étambot, exposés à Ristigouche, propose un élancement de 15 pieds 8 pouces et 2 pieds 4 pouces de quête.

La proportion largeur/hauteur pour la frégate de calibre 12 du type atlantique est fixe, à 1,97, toujours selon Acerra. Ce cœfficient est de 1,91 pour l'*Hermione* et la frégate de 1757. Les premières frégates de 12 livres semblent avoir un peu plus de tirant, celles postérieures à 1760 étant moins creuses. Ceci indique donc un creux de 16 pieds 9 pouces pour le *Machault*. La restitution d'une section du *Machault*, à Ristigouche, semble confirmer cette hauteur. Ces données, toutes théoriques qu'elles soient, permettent d'imaginer un peu la taille approximative du *Machault*. Les hauteurs d'entreponts et de gaillards indiquées dans la documentation pour les différentes frégates, répertoriées au tableau 2, se situent aux environs de 5 pieds pour l'entre pont et de 6 pour les gaillards. L'observation de ces moyennes et le fait que les plans du *Machault* soient du même auteur que ceux de la frégate anonyme de 1757 suggèrent que les dimensions de gaillards et entrepont, relevées dans le devis de 1757 (append. B), s'appliquent au *Machault*. Quant aux gaillards, ils mesurent vraisemblablement 60 pieds de longueur sur l'arrière et 26 sur l'avant. Il y a donc quelque 44 à 48 pieds d'espace libre entre les deux gaillards sur le pont supérieur du *Machault*. Ce pont est en effet de quelques pieds plus long que la longueur d'étrave à étambot, selon des données recueillies sur la *Bellone-Repulse*.

Navires de commerce

Le *Bienfaisant* et le *Marquis-de-Malause*, deux navires marchands qui accompagnent le *Machault* à Ristigouche, jaugent tous les deux environ 350 tonneaux. Le tonnage jusqu'au milieu du XIXe siècle, pour le navire marchand ou le vaisseau de guerre, exprime le port en lourd d'un bâtiment et correspond à un encombrement possible en cale. Tel que défini par l'Ordonnance de la marine de 1681, le tonneau équivaut à une capacité d'encombrement de 42 pieds cube ou à un poids de 2000 livres. Des formules inventées aux XVIe et XVIIe siècles dans quelques pays d'Europe permettent, connaissant les principales dimensions d'un navire marchand, d'en calculer le tonnage. Elles varient quelque peu d'un pays à l'autre. Ainsi, chez les Français, le tonnage est le produit divisé par 100 de la multiplication de la longueur hors* tout par la largeur au maître bau et par le creux sous bau. Le diviseur tient compte de la capacité cubique du tonneau et

Tableau 2a : Voiliers français, dimensions

Dimensions	Frégate-course	*Hermione*-fr	*Hermione*-an	*Comète*-fr	*Comète*-an
Année de construction	1757	1748		1752	1752
Constructeur	Geffroy	P. Morineau		J.L. Ollivier	
Chantier	Bayonne	Rochefort		Brest	Havre
Tonnage	550 tx	600 tx	811 ts 84/94		647 35/94
Longueur sur le pont supérieur					
Longueur hors tout (étrave-étambot)	128,00	127,50	130,83	118,00	126,31
Longueur quille	112,00		108,28		103,75
Largeur au maître-bau	32,50	33,66	37,54	31,66	34,25
Creux sur bau	17,00	17,66	18,83	16,00	17,08
Hauteur de cale	11,71	12,58	13,41	9,33	10,00
Longueur hors tout/largeur	3,94	3,79	3,49	3,73	3,69
Creux/largeur	0,52	0,52	0,50	0,51	0,50
Largeur/creux	1,91	1,91	1,99	1,98	2,01
Longueur hors tout/creux	7,53	7,22	6,95	7,38	7,40
Tirant d'eau arrière		15 pi 5 po			13 ft 11 in 1/2
Tirant d'eau avant		14 pi 1 po			12 ft 11 in
Hauteur entrepont centre	5 pi 3 po 1/2		5 ft 5 in		5 ft 2 in
Bâtiments comparables à Ristigouche	*Machault*	*Machault*	*Machault*	*Machault*	*Machault*

Légende : Nbre = nombre; fr = données françaises; an = données anglaises; tx = tonneaux; pi = ancien pied français; po = pouce; ts = tuns; ft = foot ou pied anglais; in = inch; li = livre; Ms = Marquis

Tableau 2a : Voiliers français, dimensions (suite)

Dimensions	Frégate-course	*Hermione*-fr	*Hermione*-an	*Comète*-fr	*Comète*-an
Hauteur entrepont avant	5 pi 3 po 1/2		5 ft 5 in 3/4		5 ft 3 in 1/2
Hauteur entrepont arrière	5 pi 3 po 1/2		5 ft 3 in		5 ft 2 in
Hauteur Gaillard avant/avant	5 pi 6 po				5 ft 8 in
Hauteur Gaillard avant/arrière	5 pi 7 po		6 ft 0 in 1/2		5 ft 8 in 1/2
Longueur Gaillard avant			28 ft 11 in		28 ft 4 in
Hauteur Gaillard arrière/avant	5 pi 7 po				6 ft
Hauteur Gaillard arrière/arrière	5 pi 9 po		6 ft 2 in		6 ft 0 in 1/2
Longueur Gaillard arrière			65 ft		55 ft 11 in
Hauteur d'embelle			5 ft 3 in		5 ft 1 in
Nbre de sabords en Batterie/côté	12	13	13	13	13
Calibre des canons en batterie	12 li	12 li	12 li	8 li	9 li
Nbre de sabords en Entrepont/côté			6		
Hauteur de batterie		8 pi			
Nbre de sabords sur gail. arr./côté				4	4
Calibre des canons sur gaillard		6 li		4	4
Nbre de sabords sur gail. avant/côté		2		2	2
Bâtiments comparables à Ristigouche	*Machault*	*Machault*	*Machault*	*Machault*	*Machault*

Légende : Nbre = nombre; fr = données françaises; an = données anglaises; tx = tonneaux; pi = ancien pied français; po = pouce; ts = tuns; ft = foot ou pied anglais; in = inch; li = livre; Ms = Marquis

Tableau 2b : Voiliers français, dimensions (suite)

Dimensions	*Bellone-Repulse*	*Repulse-Bellone*	*Chézine*-fr	*Chézine*-an	*Bienfaisant*	*Cerf*
Année de construction		1757			1758	
Constructeur						
Chantier	Rochefort	Rochefort			Bordeaux	
Tonnage		676 ts 54/94	450 tx	404 ts 16 /94	340 -350 tx	334 ts 28/94
Longueur sur le pont supérieur		128,16				
Longueur hors tout (étrave-étambot)	120,50	122,58	115,00	119,50	93,00	97,33
Longueur quille		104,08		99,75		76,52
Largeur au maître-bau	32,25	34,96	27,83	30,20	27,00	28,29
Creux sur bau	15,50	16,54	12,83	13,68	13,50	14,62
Hauteur de cale	10,16	10,88		12,71		10,37
Longueur hors tout/largeur	3,74	3,51	4,13	3,96	3,44	3,44
Creux/largeur	0,48	0,47	0,46	0,45	0,50	0,52
Largeur/creux	2,08	2,11	2,17	2,21	2,00	1,94
Longueur hors tout/creux	7,77	7,41	8,96	8,74	6,89	6,66
Tirant d'eau arrière				14 ft 4 in	12	
Tirant d'eau avant				12 ft 3 in 1/2		
Hauteur entrepont centre		4 ft 11 in 1/4	4 pi	4 ft 4 in		4 ft
Bâtiments comparables à Ristigouche	*Repulse*	*Repulse*	*Aurore*	*Fidélité*	*Bienfaisant*	*Ms-de-Malause*

Légende : Nbre = nombre; fr = données françaises; an = données anglaises; tx = tonneaux; pi = ancien pied français; po = pouce; ts = tuns; ft = foot ou pied anglais; in = inch; li = livre; Ms = Marquis

Tableau 2b : Voiliers français, dimensions (suite)

Dimensions	*Bellone-Repulse*	*Repulse-Bellone*	*Chézine*-fr	*Chézine*-an	*Bienfaisant*	*Cerf*
Hauteur entrepont avant		4 ft 10 in		4 ft 4 in		4 ft
Hauteur entrepont arrière		4 ft 6 in		4 ft 4 in		4 ft 1 in 1/4
Hauteur Gaillard avant /avant		5 ft 8 in		4 ft 7 in 1/2		5 ft 4 in
Hauteur Gaillard avant /arrière		5 ft 10 in	5 pi	4 ft 10 in		5 ft 4 in
Longueur Gaillard avant		28 ft		25 ft		21 ft 6 in
Hauteur Gaillard arrière/avant		5 ft 10 in		5 ft 3 in		5 ft 6 in1/2
Hauteur Gaillard arrière/arrière		5 ft 10 in 1/2	6 pi	6 ft 4 in 3/4		5 ft 8 in1/2
Longueur Gaillard arrière		54 ft 7 in 1/2		51 ft 6 in		48 ft
Hauteur d'embelle		4 ft 10 in 1/2		4 ft 3 in		4 ft 3 in 1/2
Nbre de sabords en Batterie/côté	13	14	12	12		
Calibre des canons en batterie	8 li		6 li			
Nbre de sabords en Entrepont/côté	n/a		3			
Hauteur de batterie				3 ft 9 in 1/2		
Nbre de sabords sur gail. arr./côté	4	2				
Calibre des canons sur gaillard	4					
Nbre de sabords sur gail. avant/côté						
Bâtiments comparables à Ristigouche	*Repulse*	*Repulse*	*Aurore*	*Fidélité*	*Bienfaisant*	*Ms-de-Malause*

Légende : Nbre = nombre; fr = données françaises; an = données anglaises; tx = tonneaux; pi = ancien pied français; po = pouce; ts = tuns; ft = foot ou pied anglais; in = inch; li = livre; Ms = Marquis

8 Frégate marchande à l'ancre. *Tableau de Joseph Vernet, « Le golfe de Bandol », 1756, Musée de la Marine, Paris, Photo RMN.*

de la forme générale du navire. En Angleterre, on multiplie plutôt la longueur de quille par la largeur et le creux sous bau, et le diviseur est 94. Ces formules sont vérifiables dans les exemples du *Chézine*, du *Bienfaisant* et du *Cerf*, navires marchands du tableau 2, puisqu'elles donnent des résultats qui approchent les tonnages indiqués dans les documents pour ces navires.

Blaise Ollivier, qui décrit également les navires marchands, souligne qu'ils sont de construction semblable aux frégates de troisième ou dernier ordre, soit les plus petites; ils portent des canons et servent au commerce (fig. 8). Ils mesurent de 60 à 110 pieds de longueur et leur largeur est de 3 pouces 3 lignes à 3 pouces 9 lignes par pied de longueur. Le creux varie entre 5 pouces et 5 pouces 6 lignes par pied de largeur, et le plat de varangue*, ou fond du navire, est égal à la moitié de la largeur. Vingt à vingt-deux canons en une seule batterie arment les navires les plus grands, 14 à 16 les bâtiments moyens et 4 à 8 les plus petits. Ces observations conviennent assez bien aux *Bienfaisant* et *Marquis-de-Malause*, qui se classent avec leur armement parmi les bâtiments marchands de taille moyenne. Les navires marchands de la Compagnie des Indes de tonnage similaire aux *Bienfaisant* et *Machault* sont également de dimensions comparables. Leur navire de 360 tonneaux a ainsi une longueur hors tout de 95 pieds, une largeur de 26 et un creux de 12 pieds 4 pouces. Le bâtiment de la Compagnie des Indes de 460 tonneaux mesure plutôt 104 pieds de long, 28 de large et 13 pieds 3 pouces de haut. Ces dimensions illustrent sans doute bien la taille du *Fidélité* et de l'*Aurore* de 450 tonneaux.

Les cœfficients longueur/largeur et hauteur/largeur des navires marchands sont plus éloquents pour les distinguer des frégates. Les proportions établies dans les cas du *Bienfaisant* et du *Cerf*, un navire fort similaire au *Marquis-de-Malause*, situent ces bâtiments dans les moyennes de 3,41 à 3,68 observées pour les navires marchands de la première moitié du XVIIIe siècle. Évidemment il y a des cas particuliers : le navire *Chézine* dont le tonnage s'apparente à celui de l'*Aurore* et du *Fidélité*, construit en flûte* selon son devis français ou considéré « almost a new frigate »[16] selon les charpentiers anglais, possède plus l'aspect d'une frégate avec son élancement. En construction navale, les valeurs absolues sont peut-être rares. Les navires marchands sont habituellement beaucoup moins élancés que les frégates et ont un creux légèrement moins prononcé, donc plus de dérive*. Avec un plat de varangue important, les fonds de carène sont pleins et le navire fend les eaux moins facilement exacerbant ainsi les difficultés de la marche. Le vaisseau de guerre, tout comme la frégate de course, doit avoir une marche rapide. La hauteur de la batterie est aussi importante pour pouvoir utiliser les canons en toutes circonstances. Ces voiliers doivent être les plus flottants possibles et donc plus légers en bois, toutes proportions gardées, que les navires marchands.

La présence anglaise

Cinq bâtiments, dont un de construction française et de capture récente, composent la flotte anglaise de Ristigouche. La Grande-Bretagne s'impose comme la première puissance maritime mondiale au XVIIIe siècle. Les cinq voiliers anglais de Ristigouche appartiennent à la marine royale. Contrairement à la France, les Anglais ne poussent pas tellement la recherche en construction navale et leurs vaisseaux, malgré d'imposantes victoires, souffrent de certaines faiblesses. L'amirauté anglaise promulgue une série de règlements rigides fixant les principales dimensions des divers rangs de vaisseaux entre 1706 et 1745. Le dernier « établissement »* fixe les longueurs des vaisseaux de 70 canons à 160 pieds et à 150 ceux de 60 canons. Comme il faut recourir aux plus hautes autorités pour y déroger, les modifications sont rares. Régis par ces « établissements », les vaisseaux anglais sont un peu plus petits que les bâtiments français ou espagnols. Leur artillerie est assez lourde et, conséquemment, leur charpente doit être forte. Bien que plus résistants, ils sont souvent

16 « Presqu'une nouvelle frégate ». Le devis français de construction est reproduit dans Gilles Proulx, *Entre France et Nouvelle-France*, Montréal, Broquet, 1984, p. 177-179; le devis anglais, réalisé après la capture, paraît dans la version anglaise *Between France and New France*, Toronto, Dundurn, 1984, p. 137-139.

moins rapides et moins manœuvrants que ceux de leurs adversaires. La capture de certains vaisseaux français de 74 canons et de frégates de course entre autres, pendant la guerre de Succession d'Autriche, oriente vers de nouvelles expériences en architecture navale anglaise. Ces tentatives profitent aux bâtiments anglais de Ristigouche.

La construction et le lancement des voiliers anglais qui seront présents à Ristigouche s'effectuent entre 1754 et 1759. Il s'agit de bâtiments à deux ponts de batterie de canons pour les vaisseaux de troisième rang; ils portent de 60 à 74 canons. Les voiliers de cinquième et sixième rangs ne sont qu'à un seul pont armé de canons. Les archives anglaises conservent heureusement les dimensions générales de tous ces vaisseaux et frégates (tableau 3) ainsi que les plans de quelques uns d'entre eux. Les vaisseaux sont un peu plus longs que ne le prévoit « l'établissement », de 1745. Ils témoignent des premiers écarts avec la pratique générale en construction navale anglaise. Les vaisseaux doivent être de meilleurs voiliers. Les modifications sont bien timides puisque lors de l'envoi des plans du *Dorsetshire* pour examen par l'Amirauté, on évite soigneusement de mentionner un allongement de deux pieds par rapport au règlement de 1745. L'*Achilles* en a trois et demi de plus. L'examen de vaisseaux français de 74 canons convainc les nouveaux constructeurs au Bureau de la Marine, Thomas Slade et William Bately, d'adopter le vaisseau de 74 canons comme bâtiment type de la flotte royale anglaise. Les premiers modèles de 74 canons sont prévus pour être des 70 canons; on ajoute des canons aux gaillards. Le *Fame* est de fait le premier vaisseau construit officiellement comme bâtiment de 74 canons.

Le *Repulse-Bellone*, lancé en 1755, est en réalité une frégate française. Au moment de sa capture en 1759, elle porte 28 canons de 8 livres en batterie et 4 canons aux gaillards. Les Anglais la réarment avec du calibre 12 (fig. 9 et 10). Le tonnage comme les dimensions du *Repulse* se rapprochent énormément de ceux de la *Diana*, frégate anglaise de cinquième rang avec une artillerie comparable. Les dimensions de cette nouvelle frégate anglaise sont proches de celles attribuées au *Machault*, moyennant environ 3 ou 4 pouces en moins en hauteur d'entrepont et des gaillards un peu plus courts, mais

Tableau 3 : Vaisseaux anglais, dimensions

Nom du vaisseau	*Fame*	*Triumph*	*Dorsetshire*	*Chichester*	*Achilles*
Date de construction ou d'observation	1759	1757	1754	1748	1757
Rang	3	3	3	3	3
Nombre de ponts	2	2	2	2	2
Tonnage	1541 8/47	1793	1426	1401 33/94	1216 32/47
Artillerie (nombre de canons)	74	74	70	70	60
Pont inférieur (nombre-calibre)	28 x 32		28 x 32		24 x 24
Pont supérieur (nombre-calibre)	28 x 18		28 x 18		26 x 12
Gaillard arrière (nombre-calibre)	14 x 9		12 x 9		8 x 6
Gaillard avant (nombre-calibre)	4 x 9		2 x 9		2 x 6
Longueur hors tout (étrave-étambot)	165,50	171,00	162,00	160,00	153,50
Longueur quille	134,00	139,00	134,50	131,54	127,25
Largeur	46,50	49,25	44,66	44,75	42,41
Creux sur bau	19,75	21,25	19,66	19,50	18,71
Longueur hors tout/largeur	3,56	3,47	3,63	3,58	3,62
Creux/largeur	0,42	0,43	0,44	0,44	0,44
Largeur/creux	2,35	2,32	2,27	2,29	2,27
Longueur hors tout/creux	8,38	8,05	8,24	8,21	8,20
Tirant d'eau avant	21 3				19 2
Tirant d'eau arrière	23 9				21 4
Coût	26 392 £10,9				18 797 £14,4
Equipage	650		# 460		# 380
Commandants à Ristigouche	J Byron	N/A	A Cambell	N/A	S Barrington

Légende : £ = livre sterling ou 20 fois la livre française; # = donnée moyenne et comparative; N/A = non applicable. Les dimensions au tableau sont en pieds anglais (30,5 cm)

Tableau 3 : Vaisseaux anglais, dimensions (suite)

Nom du vaisseau	*Dunkirk*	*Repulse*	*Diana*	*Scarborough*	*Liverpool*
Date de construction ou d'observation	1748	1759	1756	1755	1756
Rang	3	5	5	6	6
Nombre de ponts	2	1	1	1	
Tonnage	1216 32/47	676 27/47	652 51/94	433 6/47	506 15/47
Artillerie (nombre de canons)	60	32	32	20	20
Pont inférieur (nombre-calibre)					
Pont supérieur (nombre-calibre)		26 x 12	26 x 12	20 x 9	
Gaillard arrière (nombre-calibre)		4 x 6	4 x 6		
Gaillard avant (nombre-calibre)		2 x 6	2 x 6		
Longueur hors tout (étrave-étambot)	153,50	128,16	124,33	107,66	118,33
Longueur quille	127,14	104,08	102,12		97,29
Largeur	42,41	34,95	34,66	30,33	33,66
Creux sur bau	18,75	16,54	17,00	14,66	15,50
Longueur hors tout/largeur	3,62	3,67	3,59	3,55	3,52
Creux/largeur	0,44	0,47	0,49	0,48	0,46
Largeur/creux	2,26	2,11	2,04	2,07	2,17
Longueur hors tout/creux	8,19	7,75	7,31	7,34	7,63
Tirant d'eau avant			15 7	6 3	
Tirant d'eau arrière			15 11 1/2	13 3	
Coût			1 427 £2,6		
Equipage		# 220		# 140	
Commandants à Ristigouche	N/A	J Carter Allen	N/A	J Scott	N/A

Légende : £ = livre sterling ou 20 fois la livre française; # = donnée moyenne et comparative; N/A = non applicable. Les dimensions au tableau sont en pieds anglais (30,5 cm)

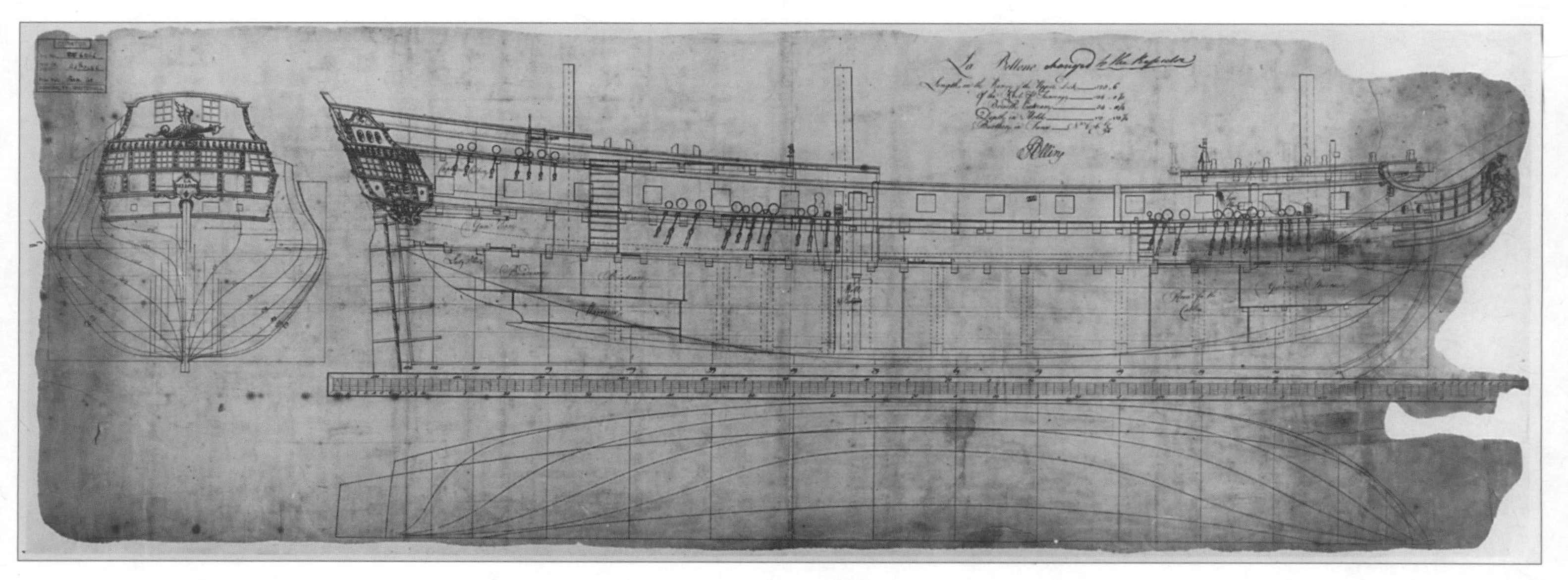

9 Lignes et profil de la *Bellone* qui devient le *Repulse* après sa capture en 1759. *National Maritime Museum, Londres, 6056.*

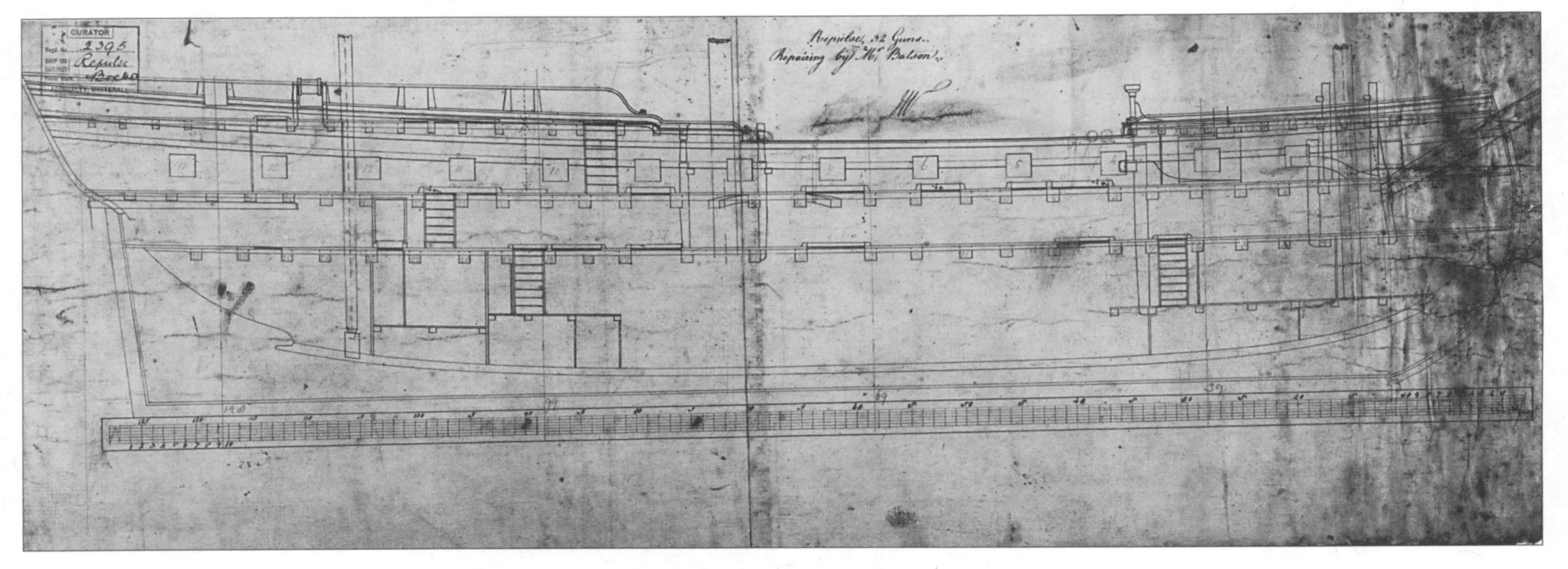

10 Profil du *Repulse* de 32 canons radoubé par M. Batson. *National Maritime Museum, Londres, 2395/40.*

quelque 9 pouces supplémentaires au maître bau. Bien que de construction anglaise, le *Scarborough* de 20 canons de calibre 9 est inspiré d'un modèle français, soit le corsaire de 26 canons *Tigre* saisi en 1746. Les cœfficients longueur/largeur des bâtiments anglais indiquent évidemment des voiliers moins élancés que les frégates françaises.

Au chantier naval

Modalités de construction

La construction navale au XVIIIe siècle commence par l'installation de l'épine dorsale du navire avec la pose de la quille, de l'étrave à l'avant et de l'étambot à l'arrière. Le constructeur détermine par le fait même la longueur, l'élancement et la quête de son bâtiment. C'est là la première de cinq étapes menant à la complétion d'un voilier. Selon les disponibilités portuaires, la construction s'effectue en cale sèche ou plus souvent sans doute, en particulier pour les navires marchands, sur un berceau incliné et aménagé en bord de mer ou de rivière. Pour la protéger, la quille est quelquefois doublée en dessous d'une mince fausse quille; plus souvent la quille est renforcée au dessus d'une contre quille. La deuxième étape consiste dans l'érection de la membrure, en application du principe charpente première, pour former le squelette ou la charpente du bâtiment. Contrairement aux siècles précédents, l'utilisation de plans permet, au XVIIIe, de concevoir graphiquement les formes du navire à construire. Les charpentiers réalisent parfois également des maquettes ou modèles réduits des futurs voiliers.

Dans les grandes salles des arsenaux, utilisées principalement pour la construction royale, des ouvriers font le tracé grandeur nature des pièces déterminant la carène des bâtiments. Des gabarits* permettent alors de tailler les pièces de la charpente. Les membrures constituées de varangues, genoux* et allonges* sont ainsi assemblées à écart*, fixées par des gournables*, sur le sol. Les couples* de levée*, placés à toutes les deux ou trois membrures soit sept à huit pieds de distance, sont ensuite dressés d'une seule pièce sur la quille (fig. 11). Des lisses, qui relient l'étrave à l'étambot, maintiennent en place ces principaux couples. Des membrures de remplissage sont ensuite

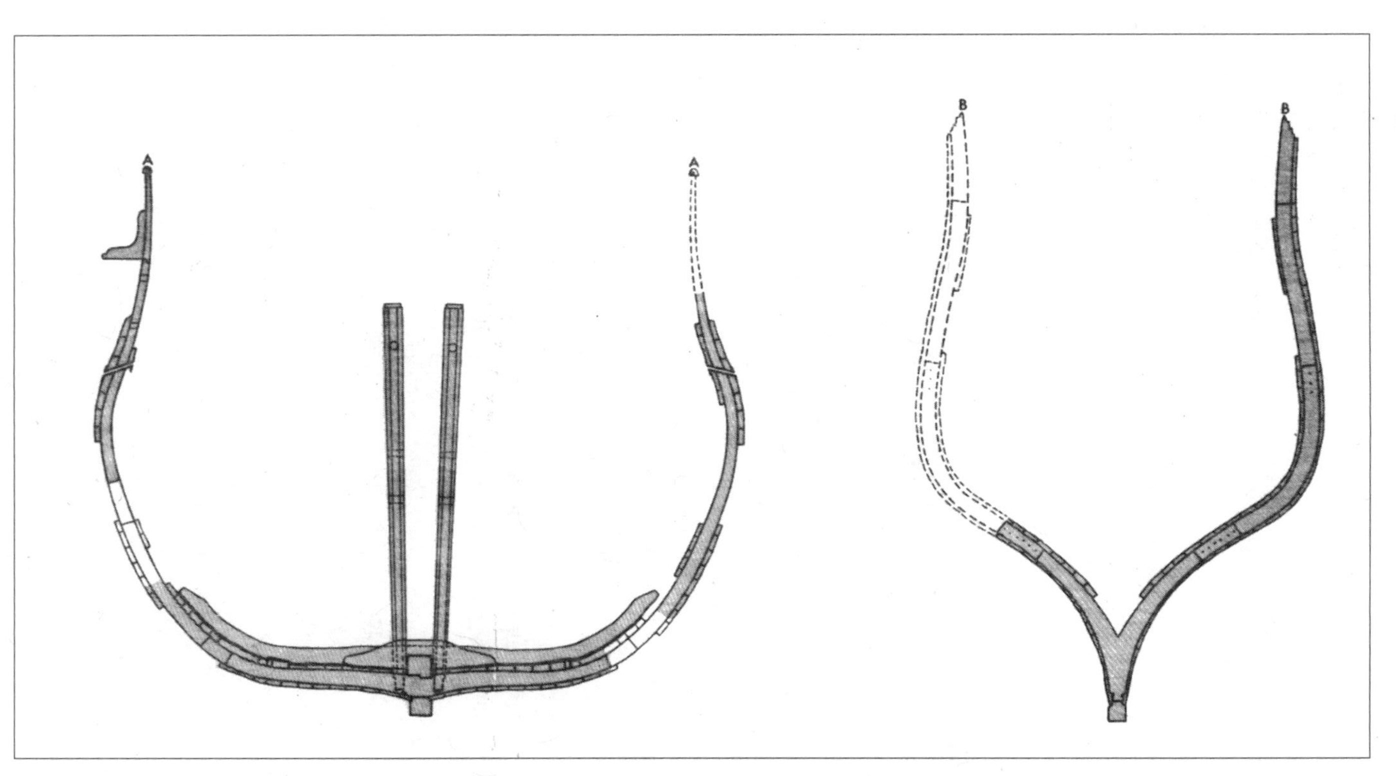

11 Dessin du maître couple et du couple de balancement* arrière du *Machault. Ministère du Patrimoine canadien.*

insérées entre les couples de levée. L'échantillonnage* des frégates françaises indique une maille* entre les couples d'une largeur à peu près identique à celle des varangues. Les fouilles archéologiques révèlent que toutes les membrures du *Machault* sont doubles et donnent 16 pouces de large sur la quille pour les doubles varangues. Dans le devis de la frégate bayonnaise de 24 canons, toutes les varangues mesurent 8 pouces de large et le document précise bien que « sur le gabariage* ses couples auront 16 pouces sur la quille » (append. B). Même si l'épaisseur des couples diminue graduellement en allant vers le haut, l'échantillonnage des frégates de l'époque du *Machault* fait état d'une charpente assez forte. Des porques*, une dizaine habituellement, se surimposent d'ailleurs à certains couples vis-à-vis les sabords pour affermir la charpente verticale.

Parallèle à la quille et s'encastrant sur les varangues, la carlingue* solidifie les fonds du navire entre l'étrave et l'étambot. Ces deux éléments sont aussi assemblés à mi-bois* avec la quille et soutenues par des courbes*. Les branches horizontales de ces dernières continuent la carlingue tout en surélevant les fourcats* que sont, à cause de leur forme, les varangues de l'avant et de l'arrière du navire. L'étrave avec son brion*, son taillemer*, se termine avec l'éperon qui soutient la poulaine*, ou avant du navire. Des allonges d'écubier*, où sont percés des orifices ronds de chaque côté de l'étrave, complètent la proue du navire. La charpente de l'avant du navire est également renforcée par un marsouin*, pièce de bois fixée sur la contre étrave, et par quatre ou cinq guirlandes*, des membrures placées perpendiculairement à l'étrave. Des chevilles de fer attachent les principales pièces de charpente les unes aux autres. L'arrière du bâtiment de forme arrondie, généralisée après 1730, est formé par quelques barres d'écusson* fixées dans la partie supérieure du contre étambot. La voûte* et ses jambettes*, qui reposent sur la lisse d'hourdi*, servent de plancher aux galeries que possèdent souvent les vaisseaux et frégates de bonne taille. Des allonges, assemblées à écart avec les jambettes de voûte, s'élèvent jusqu'à la lisse de couronnement*. Entre ces allonges, des châssis éclairent les chambres sises à ce niveau. Un autre marsouin, fixé dans l'axe de la quille, et des courbes d'écusson habituellement obliques de chaque côté renforcent la charpente interne de la poupe.

Des poutres transversales, dont la longueur détermine évidemment la largeur du navire, faux baux dans la cale, baux et barrots* plus en haut, soutiennent les ponts et gaillards. Les baux sont souvent à 3 ou 4 pieds de distance, mais un peu plus rapprochés pour les barrots. Ils sont plus espacés pour permettre l'installation d'écoutilles, le passage du grand mât et des tuyaux de pompe. La plupart des frégates de calibre 8 ou 12, selon les plans consultés, comptent une trentaine de baux au pont supérieur ou pont batterie et deux ou trois de moins au faux-pont. Les gaillards en possèdent une quinzaine sur l'arrière, et une dizaine sur l'avant. La grosseur de ces poutres varie selon l'utilisation des ponts. Un pont supportant une forte artillerie requiert des baux de taille supérieure à celle des barrots d'un gaillard. Ces poutres sont habituellement soutenues à leurs extrémités par des courbes en bois ou en fer. Des épontilles* ou poutrelles supportent également, en cale et entreponts, baux et barrots. Les écoutilles qui permettent la circulation d'un pont à l'autre sont bordées par des hiloires, soit des poutres de 3 à 5 pouces d'épaisseur qui s'encastrent aux baux des ponts.

Le bordage extérieur du navire comme son vaigrage interne, cloués à la charpente du navire, constituent la troisième étape de la construction du navire. Si le vaigrage est parfois oblique, le bordage est posé parallèlement à la quille et chaque virure* est clouée de façon qu'aucun joint ne soit vis-à-vis le suivant. L'épaisseur du bordé varie évidemment selon la taille des bâtiments construits. Deux ou trois préceintes, assemblées à mi-bois, ceinturent longitudinalement le bâtiment pour en renforcer la carène et l'empêcher d'ouvrir. Si les devis au XVIIIe siècle font état de dimensions assez normalisées pour les vaigres et bordés, les vestiges archéologiques du *Machault* révèlent une réalité un peu plus variée (fig. 12). Les virures n'ont pas toutes 12 pouces de large. Les préceintes sont plus épaisses que le bordé des fonds et des hauts des bâtiments, mais la distinction est moins grande pour les madriers cloués entre préceintes au niveau des sabords. Il s'agit évidemment d'un endroit fort vulnérable. Alors

12 Section tribord de la coque du *Machault. Ministère du Patrimoine canadien.*

que le vaigrage est continu au niveau des plats de varangues, les vaigres supérieures sont distancées de façon à permettre la ventilation des mailles de la charpente. Des serres*, bauquières* et gouttières*, supportant et maintenant respectivement en place les extrémités des baux, complètent le vaigrage.

Restitution du *Machault*

Les vestiges archéologiques du *Machault*, exposés au lieu historique national de la Bataille-de-la-Ristigouche, confirment la justesse des modalités de construction et ajoutent également à la compréhension de la construction navale de la période. Cette restitution partielle du *Machault*[17] comprend principalement la partie centrale du navire, côté tribord, allant du bastingage à la quille, incluant la carlingue, l'emplanture du mât principal et deux tuyaux de pompe. Les différents éléments constitutifs de l'étrave comme de l'étambot et de son gouvernail font également partie de l'exposition. La section restituée mesure 12 pieds et demi de largeur. La quille n'est mesurable que dans sa partie arrière et fait 12 pouces en carré, à 18 pieds en avant de l'étambot. Elle se termine à 9 pouces de large par 12 de haut à l'étambot. Elle mesure 14 pouces de hauteur selon les archéologues. Il n'y a apparemment ni fausse ni contre-quille. La carlingue mesure 14 pouces sur lc droit* et 12 sur le tour* ou de hauteur. Le creux sous bau, sur les vaigres de fonds, est apparemment de 176 pouces. Ce qui donne, en y ajoutant comme pour le devis de 1757, la hauteur des varangues, vaigres et baux de pont, 22 pouces pour un total de 198 ou 16 pieds et demi de creux.

L'élancement de l'étrave est d'environ 17 pieds. Elle est constituée de trois pièces de bois (fig. 13). La largeur en est de 12 pouces. Le taillemer fait lui aussi 15 pouces sur le tour et est appuyé à une courbe de poulaine de 3 pieds de branche. La hauteur entre les chiffres romains indiquant le tirant d'eau sur l'étrave est de 12 pouces. La

17 Cette restitution utilise essentiellement des pièces de l'épave du *Machault*. Elle est l'œuvre des archéologues de Parcs Canada et d'architectes spécialisés en archéologie navale. Exceptionnellement dans cette partie, les dimensions relevées sont exprimées en pieds anglais.

13 Étrave du *Machault.* Les chiffres romains indiquent le tirant d'eau. *Ministère du Patrimoine canadien.*

quête de l'étambot est d'environ 2 pieds et demi et il mesure 9 pouces de large. La courbe d'étambot mesure 5 pieds de hauteur. Il est composé de deux pièces de bois de 4 et 17 pouces d'épaisseur (fig. 14). Le gouvernail, attaché à l'étambot, mesure 9 pouces de large et 31 pieds de hauteur. Son épaisseur à la base est de 36 pouces : il est constitué de trois pièces de bois. Les ferrures d'aiguillots* (au moins cinq) ou gonds du gouvernail mesurent 3 pouces de hauteur, 35 de long, et le gond lui-même fait 16 à 18 pouces de haut (fig. 15).

Toutes les membrures sont doubles et l'espace entre chaque couple est de 6 et demi à 8 pouces. Les varangues ont 7 et demi à 8 pouces de large et 10 à 12 pouces de tour. Sur la quille les couples font 16 pouces de large. Les aiguillers* ont 2 pouces et demi en carré dans le bas de la varangue près de la quille. La première allonge, qui mesure 7 pieds de long, a 7 pouces et demi de large et 8 de tour. L'allonge au fort* fait 8 pouces et quart sur le droit et 6 pouces et quart sur le tour. L'allonge de revers ou supérieure fait 6 à 8 pouces de large et 4 pouces sur le tour et mesure 5 pieds en haut du porte-hauban*. Il y a environ 10 pieds de hauteur de la bauquière du tillac* au plat-bord de gaillard. Le sabord fait 30 pouces en carré (son mantelet*, 31 pouces) et la distance minimale entre sabords est certes de plus de 6 pieds. Il faut signaler la présence d'un dalot* de gouttière, bordé en cuir au niveau du pont, et de ce qui semble être un sabord de ventilation de 5 pouces de haut par 6 de large avec mantelet de 8 sur 11 pouces, à 40 pouces sous le sabord à canon.

Les bordés, de la quille au faux-pont, ont 3 pouces d'épaisseur et 9 pouces et demi à 10 de large. La première préceinte a 4 pouces d'épaisseur par 12 de large. La virure de plat-bord fait 2 pouces et demi par 7 à 8 pouces de large. L'épaisseur du bordé est de 5 pouces et demi et 11 pouces de large au niveau du sabord de ventilation. Il y a 12 pieds de vaigrage plein, côté tribord, dans le fonds du navire (fig. 16). Les vaigres ont 2 pouces et demi d'épaisseur et varient de 7 à 12 pouces en largeur. Les deux traverses externes formant l'emplanture du mât et reposant sur la carlingue font 8 pieds de long, 12 pouces de hauteur au centre et 9 pouces de large. Le diamètre des tuyaux de pompe est de 9 pouces. Les caps de moutons* exposés ont 15 pouces

14 Talon de la quille et base de l’étambot du *Machault. Ministère du Patrimoine canadien.*

15 Étambot-gouvernail du *Machault,* avec chiffres du tirant d'eau arrière. *Ministère du Patrimoine canadien.*

16 Varangues et vaigres de fonds provenant du *Machault. Ministère du Patrimoine canadien.*

de diamètre (fig. 17). Les porte-haubans font 22 pouces de largeur, 3 pouces d'épaisseur et leurs courbes ont des branches de 22 pouces de long. Ils sont fixés en haut des sabords.

Aménagement interne

Le devis de 1757 ajoute quelques renseignements applicables particulièrement à l'aménagement du *Machault*. Dans la cale, et à l'arrière, se trouve une soute* de rechange pour le maître-canonnier. Des soutes à pain de chaque côté séparées par un corridor, avec immédiatement en dessous une soute aux poudres, la précèdent. Cette dernière renferme une archipompe* pour un fanal. Une plate-forme pour la distribution des vivres est aménagée entre les soutes à pain et le grand mât. Le plancher de la plate-forme est sis un peu plus bas que celui des soutes contiguës. Au centre, au pied du grand mât, le puits de la pompe avec ses montants en chêne sert à évacuer les eaux qui s'accumulent en fond de la cale. En avant du grand mât se trouve le parquet à boulets; le long de la coque, un corridor est aménagé et permet les inspections et réparations que des accidents rendent nécessaires, et ce, sans déplacer les marchandises entreposées dans la cale. Le document bayonnais ne donne aucun détail sur l'aménagement de la cale avant. Des plans de frégates de taille similaire au *Machault* indiquent par contre des soutes pour les câbles et les voiles sur l'avant des cales, avec emplacement réservé pour les futailles à eau en avant du grand mât. Les artefacts retirés du *Machault* confirment que les soutes arrières renferment des boissons, de la nourriture, et que le matériel naval, câbles, voiles, outils, se trouve sur l'avant.

L'entrepont mesure 5 pieds 3 pouces 6 lignes de planche en planche, du faux-pont au pont-batterie. Le faux-pont, non conçu pour porter de l'artillerie, est continu depuis le milieu du XVIIIe siècle. À l'arrière, à ce niveau, la Sainte-Barbe* renferme les armes sous la surveillance du maître-canonnier; et l'endroit sert également de dortoir à un certain nombre d'officiers mariniers. À l'avant du navire et séparée par une cloison se trouve la fosse* aux lions, entrepôt pour les câbles et espace-infirmerie. Tout le reste de l'entrepont est apparemment libre et utilisé comme dortoir par l'équipage et les soldats qui se trouvent à bord. Ils dorment dans des hamacs suspendus aux baux du pont.

17 Cap de mouton, en bois d'orme, retiré des vases de la Ristigouche. *Ministère du Patrimoine canadien.*

Sur certaines frégates, dans la marine royale surtout, des cabines de 6 pieds de longueur sont souvent aménagées en avant de la Sainte-Barbe pour loger les officiers du navire ne faisant pas partie de l'état-major. Rien n'indique que le *Machault* en possède. Des écoutilles permettent de communiquer d'un pont à l'autre, ou avec la cale. Le devis de Bayonne en signale entre autres entre la Sainte-Barbe et la soute de rechange du maître-canonnier, et une autre vis-à-vis la plate-forme aux vivres pour descendre les futailles dans la cale. On en compte habituellement quatre ou cinq par pont, localisées principalement dans l'axe central du bâtiment. Sur le *Ville-de-Bordeaux*, un navire de 600 tonneaux, « la grande écoutille aura 5 pieds 3 pouces en quarré, les écoutilles d'avant et d'arrière auront 3 pieds 6 pouces en quarré »[18]. Fermées par des panneaux à caillebotis*, ces écoutilles servent aussi à la ventilation du navire malgré l'inconvénient des infiltrations d'eau.

Sur le pont-batterie en plus des canons, on trouve deux cuisines, l'une pour le capitaine et sa table, l'autre pour l'équipage; elles sont sises de chaque côté du voilier entre le premier et deuxième sabord de l'avant, donc sous le château, lequel possède une hauteur de 5 pieds 6 pouces environ. Les cuisines, sur la frégate de Morineau, sont établies sous le gaillard, l'une en avant du mât de misaine, l'autre en arrière de façon que celle du capitaine ait son feu à tribord, et à bâbord* pour celle de l'équipage. Le *Pallas*, un navire de 250 tonneaux, compte deux cuisines, un four et un potager en bois. Le *Machault* en a certes autant. Les cuisines de ce dernier sont en proue, juste derrière le mât de misaine. La présence de briques encore cimentées sur l'avant de la frégate l'atteste, selon les archéologues responsables des fouilles. Les cuisines des voiliers français du XVIIIe siècle sont normalement en briques, reposant sur un plancher de chêne et un lit de gravier. L'intérieur est recouvert de feuilles de fer blanc avec boucles de fer sur les parois pour amarrer les chaudières et barres de fer sur le foyer. Il n'y a pas toujours de panneau amovible au-dessus des cuisines et les tuyaux

18 Cavignac, Jean, *Jean Pellet, commerçant de gros 1694-1772*, Paris, S.E.V.P.E.N., 1967, p. 349.

de cheminée ne sont pas toujours efficaces. Cela peut expliquer les barrots de gaillards gâtés, car chauffés par les feux de cuisine, à bord des frégates *Hermione* et *Friponne*.

Si le gaillard avant se termine en arrière du cabestan* de la fosse aux câbles, celui de l'arrière finit au-dessus du grand sep* de drisse*, donc à proximité du grand mât. Des passavants* relient les deux gaillards, à leur niveau, le long des bastingages* d'embelle* sur une distance d'un peu moins de 50 pieds. Les passavants de la *Licorne* (fig. 5) sont soutenus par des courbes et mesurent environ 4 pieds de largeur. Les officiers majors couchent dans des chambres aménagées sous le gaillard arrière du navire : la hauteur en est de 5 pieds 9 pouces environ. Leurs chambres, comme celle du Conseil ou grande chambre, situées également à ce niveau, sont toutes plafonnées et lambrissées. Les cloisons sont installées de façon à ne pas gêner le service des canons ou la manœuvre du cabestan. Lorsqu'elles ne sont pas en toile, les cloisons sont souvent démontables. La barre du gouvernail est placée dans la grande chambre et deux sabords de retraite y sont également pratiqués. La *Licorne* connaît une situation identique. L'état-major prend ses repas dans la grande chambre, éclairée par les fenêtres du tableau arrière. Il n'y a pas, quelques pièces d'équipement mises à part, d'aménagement particulier sur les gaillards. La présence de dunettes*, fréquentes sur les frégates françaises, est cependant controversée car elles augmentent la hauteur des œuvres-mortes*. Ainsi lorsque les Anglais capturent des frégates françaises, ils s'empressent de faire abattre les dunettes. L'existence d'une dunette sur le *Machault*, si elle n'est pas vérifiable, n'est pas improbable.

Les navires marchands français

Les navires marchands présents à Ristigouche respectent généralement les mêmes modalités de construction. Ils ont des tabliers de cale plutôt plats, donc des fonds plats, et sont souvent renflés de l'avant. On y trouve les cinq grandes divisions habituelles que sont la cale, l'entrepont, le pont-batterie ou supérieur ainsi que les gaillards d'avant et d'arrière. D'après l'historien Jean Cavignac, « Le navire marchand au xviiie siècle n'est guère différent de celui des siècles précédents. L'avant et l'arrière tendent à s'aligner sur le niveau du milieu du navire : on a rasé en effet les châteaux d'avant et d'arrière, ce qui facilite le gréement et permet d'aller au plus près »[19]. On peut sans doute en dire autant des frégates et vaisseaux de guerre. L'aménagement interne du bâtiment marchand semble cependant très simplifié. Selon le constructeur Blaise Ollivier, dans la plupart des navires marchands, il n'y a en cale que l'archipompe, une soute aux lions, une petite soute aux poudres, ou seulement l'archipompe. Il observe également, en entrepont, une Sainte-Barbe et des soutes pour le pain et les provisions.

L'entrepont des navires marchands français est communément très bas, se situant le plus souvent à quelque 4 pieds. C'est un reproche que des charpentiers anglais adressent au *Cerf*, navire français de 334 tonneaux, après sa capture. Les critiques anglaises sur les navires marchands français ne se limitent pas à ce seul aspect. L'absence de fini semble généralisé sur les corsaires et autres navires français. On déplore également le manque de cabines. Il y a peut-être des exceptions à cette règle comme le démontre l'inventaire du *Joseph-Louis* de Bordeaux, navire de 85 pieds de quille avec « un carrosse* sur le gaillard derrière avec deux cabanes et une table, une grande chambre avec huit cabanes a l'anglaise, une grande antichambre à tribord avec 2 lits et une dito à bâbord avec un idem, 2 cabanes de chaque côte attenantes aux précédentes fermant à clef le tout séparé du gaillard par une cloison »[20]. Si les divisions semblent nombreuses, elles sont temporaires. Les deux bâtiments mentionnés ont des jauges et dimensions similaires à celles des navires marchands de Ristigouche.

En plus des questions d'aménagement, les charpentiers anglais reprochent aux navires français une construction légère, faiblement charpentée et de qualité médiocre. L'échantillonnage trop faible, le manque de courbes et de chevilles, les pièces de bois trop courtes et mal séchées semblent à l'origine de ces défauts. Il est bien difficile, compte tenu de la documentation disponible, d'apprécier la qualité

19 Cavignac, Jean, *ibid.,* p. 45.
20 Cavignac, Jean, *ibid.,* p. 344.

des navires de Ristigouche sur le plan de la construction navale française. Les archives permettent cependant des comparaisons assez révélatrices. Le devis du *Pallas* de 250 tonneaux indique, par exemple, que « dans chaque guirlande il y aura 11 chevilles de fer de 12 lignes chacune et 7 à chaque fourcat »[21]. Le document bayonnais de 1757 place des courbes aux extrémités de tous les baux. La documentation française fait donc état de liaisonnements bien conçus. Les vestiges de Ristigouche et ses doubles membrures révèlent que la charpente du *Machault* est somme toute assez normale, vraisemblablement forte.

Repulse-Bellone

La frégate *Repulse*, qui engage la dernière bataille avec le *Machault* au matin du 8 juillet 1760, est aussi un produit architectural français. Il s'agit en effet de l'ex-*Bellone*, une frégate française officiellement de 26 canons de calibre 8, capturée en 1759 et rebaptisée *Repulse*. L'examen fait par les charpentiers anglais de cette prise de guerre a laissé un devis, certaines réserves critiques et surtout quelques plans (fig. 6, 9 et 10) d'un bâtiment impliqué à Ristigouche. Ses principales dimensions (tableaux 3 et 4) se rapprochent de celles du *Machault* et donnent deux frégates de taille comparable. Les hauteurs d'entrepont et de gaillards sont cependant légèrement inférieures, avec quelques pouces en moins. La *Bellone*, lors de sa capture, compte 28 canons de 9 livres (mesures anglaises) en batterie avec 14 sabords par côté. Il y a également quatre canons de 4 livres sur le gaillard arrière, avec deux sabords sur tribord* et autant sur bâbord. Lors de la campagne de 1760, l'artillerie sur le pont-batterie du *Repulse* passe du calibre 8 au calibre 12. Pour supporter le poids supplémentaire de ces nouveaux canons, les charpentiers anglais ajoutent des courbes verticales en fer à tous les deux baux du faux-pont ainsi qu'une courbe horizontale à tous les baux du pont-batterie. Les charpentiers anglais attribuent la rouille observée sur la ferronnerie des sabords de la *Bellone* à une utilisation antérieure. Cette remarque tend à démontrer que l'architecture navale française, même si la

21 Cavignac, Jean, *ibid.*, p. 334.

pratique en est dénoncée, recycle les matériaux, sans doute en raison des contraintes militaires nées de ce premier conflit mondial.

Les aménagements de la *Bellone* semblent limités et justifient sans doute le qualificatif d'inadéquats. « In hold : there are no fish, brandy, steward, bread or sail rooms, captains, marines, gunner, boatswain or carpenters storerooms, magazine, well or shot lockers, fore platform to build for the fireplace »[22], écrivent les membres du Bureau de l'Amirauté après sa capture. Le devis mentionne par contre une demi-dunette sur le gaillard arrière, ce dont témoigne l'existence de deux châssis au couronnement du tableau arrière sur les plans du *Repulse*. Si les plans du *Repulse-Bellone* confirment la présence d'une trentaine de baux, à peu près équidistants sauf au grand mât et aux écoutilles, ils révèlent également des occupations d'espace un peu plus variées. Les subdivisions sont probablement postérieures à la capture de la frégate, mais avec quelques soutes à provisions en arrière de cale, de matériel sur l'avant, de cabines sur l'arrière en entrepont, l'agencement général des frégates françaises est respecté. Il n'y a pas apparemment de Sainte-Barbe. L'Amirauté anglaise juge, par ailleurs, le bâtiment en assez bonne condition pour entrer au service de sa marine royale.

Vaisseaux anglais

Avec la flotte anglaise de quatre voiliers qui accompagne le *Repulse* dans la baie des Chaleurs en 1760, les méthodes de construction tout comme l'aménagement général se comparent à celles observées en France. La taille des vaisseaux anglais, à l'exception du *Scarborough*, est évidemment supérieure à celle des navires français et offre ainsi plus d'espace. L'utilisation n'en semble pas tellement plus variée. Pour reprendre l'exemple du *Bellone*, un vaisseau de 74 canons tout comme le *Fame*, le vaisseau a une quille composée de six éléments

22 Londres, National Maritime Museum, Admiralty B, vol. 162/, devis de la Navy Board, par Dan Devert. « Dans la cale : il n'y a ni soutes à poisson, à alcool, à provisions pour le maitre-valet, à pain ou à voiles, ni magasins pour le capitaine, le maître-canonnier, le maître d'équipage ou le charpentier, ni archipompe, parquet à boulet ou plateforme pour ériger un four ». [traduction de l'auteur]

Tableau 4 : Déplacement et poids des voiliers français

Déplacement estimé	*Machault*	*Bienfaisant* et *Marquis de-Malause*
	Lf. x l x ti. x 0,55 (navire frégaté) / 28 p.c.	Lf.x l x ti. x 0,63 (navire marchand) / 28 p.c.
	123,5 x 32 x 14 = 55 328	91 x 27 x 12 = 29 484
	55 328 x 0, 55 / 28 pi.cu = 1087 tx	29 484 x 0,63 / 28 = 663 tx
Coque : poids estimé		
Quantité de bois mis en oeuvre	550 x 23 p.c soit 12 650 p.c.	350 x 23 p.c. = 8050 p.c.
Poids du chêne	12 650 x 95 % x 59 = 709 032 livres.	8050 x 95 % x 59 = 451 202 livres
Poids du sapin	12 650 x 5 % x 45 = 28 462 livres.	8050 x 5 % x 45 = 18 112 livres
Poids total du bois mis en oeuvre	737 494 livres.	469 314 livres
Poids du fer	3,20 x 12 650 = 40 480 livres.	8050 x 3,20 = 25 760 livres
Poids étoupe et brai	0,75 x 12 650 = 9487 livres.	8050 x 0,75 = 6 037 livres
Poids total de la coque	787 461 livres (394 tx environ).	501 111 livres (250 tx environ)
Représentant	36,25 % du déplacement du navire estimé à 1 087 tx.	37,70 % estimé à 663 tx
Armement : poids estimé		
Mâture	323 x 1,80 = 58 982 livres	273 x 1,80 = 35 429 livres
Gréement	323 x 1,04 = 34 078 livres	273 x 1,04 = 20 470 livres
Voilure	322 x 4,40 = 4506 livres	272 x 4,40 = 3207 livres
Câbles	322 x 20,00 = 20 480 livres	272 x 20,00 = 14 580 livres

Légende : Lf. = longueur à la flottaison; l = largeur; ti. = tirant d'eau sur quille; tx = tonneaux; pi.cu ou p.c. = pied cube; h = hommes 32^3 ou 27^3 = largeur au cube; 32^2 ou 27^2 = largeur au carré

Tableau 4 : Déplacement et poids des voiliers français (suite)

Déplacement estimé	*Machault*	*Bienfaisant* et *Marquis de-Malause*
Armement : poids estimé		
Ancres	322 x 10,00 = 10 240 livres	272 x 10,00 = 7290 livres
Embarcations (2)	322 x 7,5 = 7680 livres	272 x 7,5 = 5467 livres
Cuisine-four	322 x 8,00 = 8192 livres	272 x 8,00 = 5832 livres
Sous-total	144 518 livres	92 277 livres
Hommes et provisions		
Équipage (160 h + 100 soldats)	250 livres x 260 = 65 000 livres (ou 40 000 pr 160)	250 livres x 100 = 25 000 livres
Vivres (3 mois)	540 livres x 260 = 140 400 livres (ou 86 400 pr 160)	540 livres x 100 = 54 000 livres
Eau (2 mois)	535 livres x 260 = 139 100 livres (ou 85 600 pr 160)	535 livres x 100 = 53 500
Sous-total	489 018 livres (245 tx environ) (ou 356 518 - 178 tx)	224 777 livres (112 tx environ)
Total coque et armement	639 tx environ, avec soldats ou 572 (équipage seul)	362 tx
Artillerie	1100 coups = le 12 à 21,60 livres et le 6 à 11,15 livres	280 coups = le 6 à 11,15 et le 4 à 8,6 livres
	20 canons de 12 x 4064 = 80 280 livres	8 canons de 6 livres x 1923 = 15 384 livres
	8 canons de 6 x 2146 = 17 168 livres	6 canons de 4 livres x 1572 = 9432 livres
	total = 97 448 livres ou 49 tx	total 24 816 livres ou 12 tx
Grand total	639 + 49 = 688 tonneaux	362 + 12 = 374 tonneaux
Espace frétable	1087 - 688 = 399 tonneaux	663 - 374 = 289 tonneaux

Légende : Lf. = longueur à la flottaison; l = largeur; ti. = tirant d'eau sur quille; tx = tonneaux; pi.cu ou p.c. = pied cube; h = hommes 32^3 ou 27^3 = largeur au cube; 32^2 ou 27^2 = largeur au carré et une fausse-quille de la même largeur et de 7 pouces d'épaisseur pour la protéger. L'assemblage à mi-bois est prévu pour éviter que des joints de la quille soient vis-à-vis de ceux de la fausse-quille. Les membrures, interrompues par des sabords, sont insérées après les couples de levée. Toutes les membrures composées de varangue et allonges sont aussi doubles; la deuxième partie du couple cependant n'a pas de varangue, et les allonges alors commencent immédiatement au-dessus de la quille. Sous la ligne de flottaison, des chevilles de bois remplacent la ferronnerie sur les vaisseaux anglais.

À cause de l'importante largeur des vaisseaux anglais de troisième rang, leurs baux et barrots sont le plus souvent composés de deux ou trois sections toujours assemblées à mi-bois. Puisque les pont-batteries supportent le poids considérable des canons, on essaie le plus possible de placer un bau vis-à-vis chaque sabord et un autre entre chacun. Les extrémités des baux sont toutes munies de courbes verticales chevillées à la paroi du navire et à celle du bau et horizontales de l'autre côté du bau. On trouve également des courbes verticales, moins nombreuses, au-dessus des ponts. La présence de courbes, sous les baux et leurs parois latérales, influence évidemment la localisation des sabords d'une batterie à l'autre. Des barrotins* sont installés parallèlement entre chaque bau que des entremises* relient aussi de l'un à l'autre. Selon l'examen des plans de l'*Achilles* et du *Dorsetshire* (fig. 7 et 18), le nombre de baux par pont n'est guère plus élevé que sur les frégates françaises pourtant beaucoup plus courtes. L'écart est cependant plus grand entre chaque bau et la grosseur de chaque pièce, plus forte, en conséquence.

Le bordé et le vaigrage des vaisseaux anglais est fonction de la taille des bâtiments et les préceintes d'un vaisseau de 74 canons peuvent atteindre une largeur de 8 pouces et demi. Le vaigrage des voiliers anglais, tout en n'étant pas continu, semble cependant plus important que sur les navires français. L'utilisation des cales et des entreponts, avec soutes, de la Sainte-Barbe, est à peu près identique d'une marine à l'autre. La Royal Navy n'épouse pas l'approche d'entreponts très bas comme pour les bâtiments marchands français. Les plans font état de plusieurs cabines à l'arrière des entreponts.

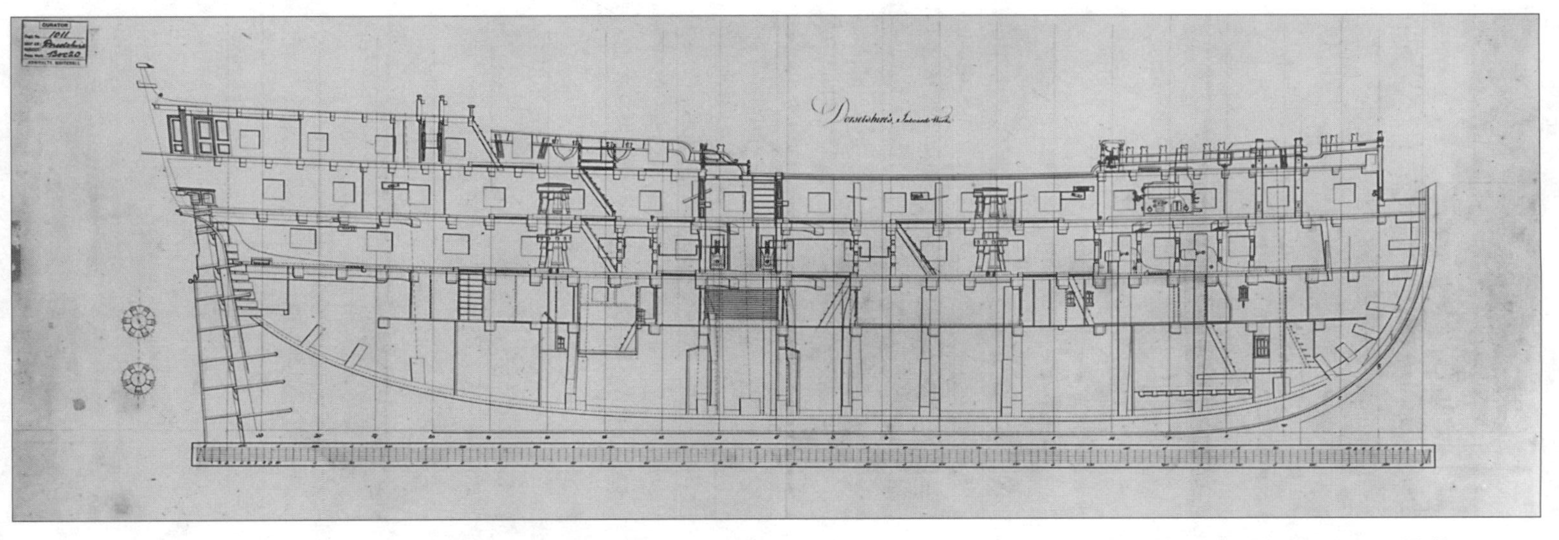

18 Profil du vaisseau de 70 canons le *Dorsetshire,* impliqué également dans les hostilités à la baie des Chaleurs en 1760. *National Maritime Museum, Londres, 1011/20.*

Les cloisons en toile qui divisent la grande chambre sont aussi en usage, et pour les mêmes raisons, sur les vaisseaux anglais. Les cuisines sont également sises sous le château avant. Un poêle en fer installé sous le gaillard avant du *Dorsetshire* figure sur un plan de ce vaisseau conservé au National Maritime Museum (fig. 18). Les officiers de l'état-major vivent en poupe sur les ponts supérieurs où fenêtres et galeries garantissent un confort bien relatif. Leurs toilettes sont installées dans les bouteilles* sur les flancs arrières des vaisseaux. Celles des équipages se trouvent, comme dans toutes les marines, à l'avant sur la poulaine.

Bois et ferronnerie

En se référant à des formules avancées par des auteurs du début du XIXe siècle, familiers de la construction navale, on peut faire état du déplacement et du poids des voiliers de la marine ancienne. Ces calculs permettent d'estimer les quantités de matériaux nécessaires à la construction des bâtiments français coulés à Ristigouche. Le tableau 4 élabore sur les déplacements et poids estimés des *Machault*, *Bienfaisant* et *Marquis-de-Malause,* à partir de formules faisant appel à certaines dimensions de longueur à la flottaison, tirant d'eau, tout comme aux cube et carré du maître bau. Le déplacement du *Machault* s'établit donc à 1087 tonneaux[23], soit près du double de son port en lourd de 550 tonneaux. Ceci correspond bien au déplacement moyen des frégates de calibre 12 évalué à 1082 tonneaux, selon des études récentes.

Le poids total de la coque du *Machault* peut être estimé à 400 tonneaux environ, soit 350 pour le bois et 20 pour le fer. En ajoutant la pesanteur de l'armement, celle des vivres, des boissons et des hommes, pour 260 marins et soldats, ainsi que de l'artillerie, le poids

23 La formule utilisée est celle de la Longueur à la flottaison x Largeur x Tirant d'eau x 0,55 (cœfficient pour un navire de type frégaté, ou 0,63 pour un navire marchand) divisé par 28 pieds cubes correspondant au tonneau d'eau de mer de 2000 livres. Nous avons retenu les dimensions, pour le *Machault* de 14 pieds de tirant d'eau correspondant au plus haut chiffre inscrit sur son étrave, la largeur connue de 32 pieds et une longueur à la flottaison de 123,5 déduite des 126 pieds de longueur hors tout.

du *Machault* atteint 688 tonneaux. Le déplacement étant de 1087 tonneaux, ceci laisse un espace frétable d'environ 400 tonneaux. Les calculs effectués pour le *Bienfaisant* ou le *Marquis-de-Malause*, jaugeant 350 tonneaux, suggèrent un espace frétable de 289 tonneaux. L'encombrement de la cargaison du *Soleil*, un autre navire de 350 tonneaux faisant partie de l'expédition bordelaise, est de 295 tonneaux. Il y a apparemment équivalence entre espace frétable et cargaison chargée à bord des voiliers de l'expédition. Tous ces chiffres sur le déplacement et poids des voiliers français semblent donc fort réalistes.

Parmi les essences entrant dans la construction d'un navire, le chêne représente 95 pour cent du bois requis. La construction d'une frégate exige en moyenne l'abattage de 800 arbres ou l'équivalent de 13 000 pieds cubes de chêne équarri, ce qui est proche des 12 650 pieds cubes de bois évalués pour le *Machault*. Le bois de chêne utilisé pour construire le *Machault* provient de toute évidence des environs de Bayonne, à tout le moins de la région pyrénéenne. Il s'agit en effet d'un secteur reconnu comme bon producteur de chêne d'excellente qualité. « La plupart des pièces de bois qui entrent dans la construction des vaisseaux marchands de l'Océan sont de chêne, on n'y met en bois de sapin que les bordages du second pont et ceux de l'accastillage, et on fait quelquefois leurs bordages du fond de bois d'ormeau » [24], soutient le constructeur Blaise Olivier. On utilise principalement le chêne maigre, soit le plus résistant, pour la membrure et les œuvres mortes. Le chêne gras, moins sensible à l'humidité, convient mieux au bordage des parties immergées du navire.

Le fer constitue l'autre matériau le plus usité en construction navale, soit une vingtaine de tonnes pour le *Machault* et une douzaine pour des navires marchands, tel le *Bienfaisant,* exception faite du poids des ancres et des canons. La ferronnerie la plus courante est sans doute celle des chevilles, principalement pour l'assemblage de la charpente, et des courbes reliant baux et vaigrage. À cela s'ajoute toute la clouterie, sans doute très variée, puisque pour un navire de

24 Boudriot, Jean, *Companie des Indes, 1720-1770 : Vaisseaux, hommes, voyages, commerce,* Paris, ANCRE, 1983, p. 271-72.

19 Emplanture du mât principal du *Machault,* avec vaigres, varangues et carlingue, telle que retirée de la Ristigouche. *Ministère du Patrimoine canadien.*

600 tonneaux comme le *Superbe* (anciennement le *Ville-de-Bordeaux*) on identifie des clous sous 15 appellations différentes. Le fer sert également pour différentes fixations dans le gréement, telles boucles, crochets, chaînes, cercles sur les mâts, de serrures et cadenas de panneaux et portes et de barres de fer pour les poêles ou pour les hunes*. Bien qu'il existe des chevilles de fer de 12 pieds de long sur un vaisseau de 74 canons, tel le *Fame*, les vaisseaux anglais font un usage du fer un peu plus limité que les Français. Les courbes y sont plus souvent en bois et le chevillage sous la ligne de flottaison, pour limiter la rouille, est aussi en bois.

Gréer un bâtiment

La mâture

> Dès que la frégate sera à l'eau on l'appuiera sur deux barques & qui la tenant droite sur sa quille l'empêcheront de porter sur ses genoux & ce sera dans cette situation qu'on lu donnera sa mature son lest & la partie du gréement nécessaire pour la conduire à Rochefort.[25]

La cinquième et dernière étape de la construction, qu'il s'agisse d'une frégate légère ou d'un vaisseau de 74 canons, commence alors. Mises à part quelques données résultant de l'examen de la restitution du *Machault*, de ses porte-haubans en haut des sabords, et des vestiges archéologiques, on possède peu de détails précis sur la mâture du *Machault*. Le devis de 1757 (append. B) de la frégate bayonnaise est muet sur la question. Les illustrations de l'emplanture du grand mât du *Machault* (fig. 19), des poulies et caps de moutons (fig. 17, 20) en constituent les pièces les plus tangibles. Toute la question du gréement et armement des voiliers de Ristigouche, constitue donc un champ d'exploration difficile à parcourir. Les vestiges sont par contre éloquents sur certains apparaux* du *Machault* tels son gouvernail, ses pompes, son artillerie. Quelques comparaisons des données iconographiques et

25 France, Archives de la chambre de commerce de la Rochelle, carton XVII, dossier 3, pi. 5869, s.d. « tableau des proportions d'une frégate de 24 à 26 canons et des dépenses pour icelle, suivant deux devis dont un fait à La Rochelle, l'autre à Rochefort ».

20 Poulies en bois d'orme et de gayac provenant des fouilles du *Machault.* *Ministère du Patrimoine canadien.*

manuscrites apportent certaines précisions au domaine des fournitures indispensables à la construction et à la manœuvre des bâtiments de la baie des Chaleurs en 1760.

Les voiliers de Ristigouche sont tous des trois-mâts, à l'exception des quelques brigantins, goélettes et bateaux acadiens réfugiés dans la baie des Chaleurs en 1760. Les mâts principaux, de misaine et d'artimon*, sont composés de trois pièces entées les unes au-dessus des autres par les chouquets*, et de deux pour le beaupré. Les hunes, postes de vigie et de fixation des haubans* des mâts supérieurs, s'établissent à la jonction des bas-mâts et mâts supérieurs. Les hunes sont plutôt carrées dans les tableaux de Vernet[26]; les hunes à l'anglaise offrent trois côtés rectilignes et se répandent en France après 1750. La mâture d'un navire comme d'un vaisseau ou d'une frégate est donc constituée habituellement d'une dizaine de pièces dont la hauteur varie selon la largeur du voilier. En appliquant à la frégate de La Giraudais une mâture proportionnée à un vaisseau de 32 pieds de bau, selon des documents appartenant à Jean Marie Lorant, pilote de vaisseau vers 1756-1757, le mât principal du *Machault*, incluant grand hunier et grand perroquet*, s'élève à 155 pieds et le mât de misaine, à 144 pieds. La grande vergue* et la vergue de misaine mesurent respectivement 69 et 61 pieds de longueur. Ce sont aussi les dimensions de la mâture de la *Comète*, frégate de 26 canons de calibre 8 et de 32 pieds de bau, telles qu'elles figurent au tableau 5. L'examen de ce tableau révèle également les dimensions de la mâture de navires marchands semblables à ceux de Ristigouche. C'est donc à de telles hauteurs que doivent grimper les matelots pour se déplacer sur de minces cordages le long des vergues afin de carguer* les voiles. Et tout cela, il faut le faire même si la mer est grosse, les vents furieux ou si la pluie et le froid font glisser les mains le long des câbles!

À la fin du XVIIe siècle, le bas-mât principal équivaut à 2,5 fois le maître bau, le grand hunier, 1,5, et le grand perroquet, 0,62. Selon ces proportions, le grand mât du *Machault* mesure 148 pieds. De fait

26 Joseph Vernet, peintre de la marine, réalise dans les années 1750 des peintures des principaux ports de France.

Tableau 5a : Mâture française

Nom des voiliers	*Comète*	*Héroine*	*Ville-de-Bordeaux*	*Ville-de-Bordeaux*	*Chézine*
Largeur au maître-bau (ou tonnage)	32	30	(600 tx)	(600 tx)	30 ft 2 in 1/2
	Hauteur	Hauteur	Hauteur	Diamètre/po	Hauteur
Artimon	55	53	72	17	52 2
Perroquet de fougue	35	30	34	9	29 1
Perruche de fougue	x	x	x	x	9 3
Hauteur totale	**90**	**83**	**106**	**x**	**90 6**
Vergue-artimon	60	x	59	11	57 6
Vergue-perroquet	30	x	30		30
Grand mât	78	75	79	25	74
Grand hunier	52	47	48	15 1/2	45 2
Grand perroquet	25	25	24	7	23 6
Hauteur totale	**155**	**147**	**151**	**x**	**142 8**
Grande vergue	69	x	64	18	67 4
Vergue-grand hunier	48	x	43	11	45 9
Vergue-grand perroquet	28	x	27	6 1/2	29 9
Bâtiments comparables à Ristigouche	*Machault*	*Machault*	*Machault*	*Machault*	*Aurore*

Légende : x = donnée inconnue; ft et in signifient des données en pieds et pouces anglais. Les autres dimensions sont en pieds français (1,066 pied anglais); po= pouces; tx = tonneaux; Ms = Marquis

Tableau 5a : Mâture française (suite)

Nom des voiliers	*Comète*	*Héroine*	*Ville-de-Bordeaux*	*Ville-de-Bordeaux*	*Chézine*	
Mat de misaine	72	68	73	24	68	10
Petit hunier	49	42	44 1/2	14 1/2	42	9
Petit perroquet	23	23	22 1/2	6 1/2	21	9
Hauteur totale	**144**	**133**	**140**	**x**	**133**	**4**
Vergue de misaine	61	x	59	17	63	1
Vergue-petit hunier	45	x	39 1/2	10 1/2	42	8
Vergue-petit perroquet	25	x	25 1/2	6	26	3
Beaupré	44	45 1/4	48	24 1/2	44	6
Perroquet de beaupré	x	x	x	x	x	
Baton de foc	24	24	32	9	31	8
Hauteur totale	**68**	**69 1/4**	**80**	**x**	**76**	**2**
Vergue de civadiere	45 1/2	x	42	11	42	8
Vergue-perroquet de beaupré	30	x	x	x	39	
Bâtiments comparables à Ristigouche	*Machault*	*Machault*	*Machault*	*Machault*	*Aurore*	

Légende : x = donnée inconnue: ft et in signifient des données en pieds et pouces anglais. Les autres dimensions sont en pieds français (1,066 pied anglais); po= pouces; tx = tonneaux; Ms = Marquis

Tableau 5b : Mâture française (suite)

Nom des voiliers	*Chézine*	*Cerf*	*Cerf*	*Bellone-Repulse*	*Bellone-Repulse*
Largeur au maître-bau (ou tonnage)		28 ft 3 in 1/2		34 ft 11 in	
	Diamètre/in	Hauteur	Diamètre/in	Hauteur	Diamètre/in
Artimon	13 3/4	56 7	12 3/8	70	16 1/2
Perroquet de fougue	9	31 3	8 1/8	37 7	10 1/8
Perruche de fougue	4 1/4	x	x	x	x
Hauteur totale	**x**	**88**	**x**	**107 7**	**x**
Vergue-artimon	9 5/8	27 10	6 5/8	67 6	11 3/4
Vergue-perroquet	7 1/2	28	5 5/8	37	6 7/8
Grand mât	20	64 9	18 1/4	84 6	25 1/4
Grand hunier	12 1/2	47	12	51	15 1/2
Grand perroquet	6 5/8	22 9	6 1/2	25	8 3/4
Hauteur totale	**x**	**134 8**	**x**	**160 6**	**x**
Grande vergue	15	61 8	13 1/2	75	17
Vergue-grand hunier	10 1/2	43 4	10 3/4	56 1	11 1/8
Vergue-grand perroquet	5	30 10	6 1/4	36	6 5/8
Bâtiments comparables à Ristigouche	*Fidélité*	*Bienfaisant* & *Ms-de-Malause*		*Bellone-Repulse*	

Légende : x = donnée inconnue; ft et in signifient des données en pieds et pouces anglais. Les autres dimensions sont en pieds français (1,066 pied anglais); po= pouces; tx = tonneaux; Ms = Marquis

Tableau 5b : Mâture française (suite)

Nom des voiliers	*Chézine*	*Cerf*		*Cerf*	*Bellone-Repulse*		*Bellone-Repulse*
Mat de misaine	19 1/8	60	6	16 1/2	74	8	22 1/4
Petit hunier	12	39	6	11	45	2	15 1/2
Petit perroquet	6 5/8	22	9	5 3/4	22	6	7 1/2
Hauteur totale	**x**	**122**	**11**	**x**	**142**	**4**	**x**
Vergue de misaine	13 3/4	52	3	12	65	6	15
Vergue-petit hunier	10	39	6	9 1/2	48	10	10 1/8
Vergue-petit perroquet	4 1/4	26	8	5	30	0	6
Beaupré	19 3/4	43	8	17 3/4	50	7	25 1/4
Perroquet de beaupré		x		x	x		x
Baton de foc	7 7/8	29		9 1/8	36		10 1/2
Hauteur totale	**x**	**72**	**8**	**x**	**86**	**7**	**x**
Vergue de civadiere	10	37	8	8 1/8	48	10	10 1/8
Vergue-perroquet de beaupré	8 5/8	37	8	7 1/8	x		x
Bâtiments comparables à Ristigouche	*Fidélité*	*Bienfaisant & Ms-de-Malause*			*Bellone-Repulse*		

Légende : x = donnée inconnue; ft et in signifient des données en pieds et pouces anglais. Les autres dimensions sont en pieds français (1,066 pied anglais); po= pouces; tx = tonneaux; Ms = Marquis

la hauteur des mâts change assez peu de la fin XVIIe au début XIXe, les variations se situant principalement au niveau des huniers et des perroquets. Comparativement, la frégate de 26 canons de calibre 8, la *Bellone*, remâtée par les Anglais en 1759 et renommée *Repulse*, possède un mât principal et un mât de misaine de 150 pieds 7 pouces et de 133 pieds 6 pouces respectivement, hauteurs légèrement inférieures à celles, théoriques, du *Machault*. Quant aux basses vergues de ces mâts, elles mesurent 70 pieds 4 pouces et 61 pieds 5 pouces de longueur chacune, soit des dimensions de vergues fort comparables. La mâture des vaisseaux anglais est également fonction de la largeur au maître bau. Selon l'« établissement » de 1745 et pour les vaisseaux de troisième et sixième rangs comme ceux présents à Ristigouche, le bas-mât principal équivaut à 2,27 fois le maître-bau; le grand hunier représente 0,6 du bas-mât, et le grand perroquet, 0,49. Le mât de misaine est égal à 0,9 du mât principal.

Le diamètre du mât principal correspond à 1 pouce par 3 pieds de longueur. Ces proportions sont proches des dimensions indiquées pour la mâture du *Dorsetshire* et de l'*Achilles* (tableau 6). Les mâts principaux des vaisseaux anglais à Ristigouche mesurent donc quelque 20 à 25 pieds de plus que celui du *Machault*.

Alors que les mâts principaux et de misaine sont ancrés dans la carlingue au fond du navire et retenus en place à chaque pont par les étambrais*, les mâts d'artimon et de beaupré sont plutôt fixés dans des carlingues en entrepont, comme le sont les mèches des cabestans. À cause de la rareté des arbres, les Français recourent à la mâture d'assemblage pour les bas-mâts comme pour les grosses vergues, particulièrement. Les mâts peuvent donc être constitués de quatre à sept éléments, selon la grosseur requise, savamment imbriqués les uns aux autres. On les attache avec des cercles de fer aux 4 pieds environ. C'est le cas de la mâture du *Machault* comme le démontre la dizaine de cercles de fer trouvés au cours des fouilles archéologiques. La perte de sève, due à la coupe de ces divers éléments, tout comme les cercles de fer réduisent quelque peu la flexibilité de la mâture. Les bâtiments anglais, le bois de bonne taille étant plus facilement disponible, utilisent beaucoup plus souvent les

Tableau 6 : Mâture anglaise

Taille des vaisseaux	70 canons et 45 ft de largeur						60 canons et 42 ft 8 in de largeur					
	mâture		diamètre	vergue		diamètre	mâture		diamètre	vergue		diamètre
	ft	in	in	ft	in	in	ft	in	in	ft	in	in
Grand mât	100	2	33 3/8	91	3	21 3/4	94	9	31 5/8	86	4	20 5/8
Grand hunier	60	7	18 1/4	65	8	14 1/8	57	4	17 1/4	62	3	13 1/4
Grand perroquet	30	9	10 1/4	45	4	9 1/4	29	1	9 3/4	42	11	8 3/4
Total	191	6	N/A	N/A		N/A	181	2	N/A	N/A		N/A
Mât de misaine	90	3	30 1/8	80		19	85	6	28 1/2	76	1	18 1/8
Petit hunier	55	2	18 1/4	57	6	12 3/8	51	4	7 1/4	54	4	11 5/8
Petit perroquet	27	9	9 1/4	40		8 1/4	26	2	8 3/4	37	6	7 3/4
Total	173	2	N/A	N/A		N/A	163		N/A	N/A		N/A
Artimon	86	9	19 3/4	77	6	14 3/8	82	2	18 3/4	70		13 1/8
Perroquet de fougue	43	6	12 1/8	45		9	41	2	11 1/2	40	9	8 3/8
Total	130	3	N/A	N/A		N/A	123	4	N/A	N/A		N/A
Beaupré	61	5	30 3/4	57	6	12 3/8	58	2	28 1/8	54	4	11 5/8
Perroquet de beaupré (livarde)	N/A		N/A	40		8 1/4	N/A		N/A	37	6	7 3/4
Vergue de voile barrée	N/A		N/A	57	6	12 3/8	N/A		N/A	54		11 5/8
Baton de clinfoc	45		13 1/8	N/A		N/A	42	8	12 1/2	N/A		N/A
Vaisseaux semblables à Ristigouche	*Dorsetshire* et 44 ft 8 in de largeur						*Achilles* et 42 ft 5 in de largeur					

Légende : toutes les dimensions sont en pieds anglais (30,5 cm); ft = feet; in = inches; N/A = non applicable mâts d'un seul tenant. Tous les mâts verticaux sont légèrement inclinés sur l'arrière à raison d'1 pouce par 30 pieds de longueur au mât principal, de 3 pouces par 30 pieds au mât de misaine et de 4 pouces par 30 pieds à l'artimon.

Les mâts représentent près de six fois le poids des ancres, soit environ 60 000 livres de bois dans le cas du *Machault*, et les manœuvres trois fois (tableau 4). Bien que l'Europe du Nord fournisse les meilleurs mâts de sapin, les Pyrénées sont aussi réputées pour la récolte de pins de grande stature, utilisés principalement dans la mâture. Il est donc fort plausible que les mâts du *Machault* originent de cette région. Les mâts sont habituellement traités à l'ocre jaune, ou à tout le moins goudronnés à la résine de pin; les vergues sont aussi jaunes, avec leurs extrémités noires. Les teintes de la mâture sont similaires à celles de la batterie. La position des mâts verticaux, du moins en deuxième moitié du XVIIIe siècle, se situe approximativement au 1/9e de la longueur hors tout pour le mât de misaine, au 5/9e pour le mât principal et pour l'artimon, au 17/20e. Le mât de beaupré, et il n'y a plus de perroquet de beaupré depuis le début XVIIIe siècle, forme un angle de 33 à 36 degrés avec l'éperon du navire; l'angle augmente avec la taille du bâtiment.

Poulies et manœuvres

Plus de 325 cordages différents sont nécessaires pour gréer un voilier de 32 pieds de bau; ils forment une véritable toile d'araignée. Le plus gros est l'étai* du grand mât avec 11 pouces et demi de circonférence. La majorité des câbles mesurent de 1 pouce et demi à 4 pouces de diamètre. Les cordages du *Fame* de 74 canons pèsent 50 tonnes, et les poulies et caps de moutons, 11 tonnes. Tous ces cordages constituent les manœuvres courantes, donc mobiles, et dormantes, ou fixes. Les manœuvres courantes permettent de positionner les vergues et d'orienter les voiles. Les cordages des vergues sont essentiellement les itagues*, bras*, balancines*, drisses*, ourses*, racages*, marchepieds*, suspentes*. On manœuvre les voiles avec les amures*, écoutes*, boulines*, cargues-fonds*, cargues-boulines*, drailles*, hale-bas*, hâle-breu*, les rabans* et palanquins* de ris. Les haubans, les galhaubans* et les étais forment les manœuvres dor mantes. Alors

21 Petit vaisseau au chantier naval, 1758, John Cleverly. Le *Scarborough* de 20 canons à Ristigouche lui ressemble sans doute beaucoup. *National Maritime Museum, Londres, 7932.*

que les haubans relient les différentes pièces des mâts à la coque ou aux hunes, les galhaubans vont de la coque à la tête des mâts supérieurs. Les haubans empêchent le mât de tomber vers l'arrière et les étais, vers l'avant. La *Renommée*, frégate de 8 livres de calibre ayant 33 pieds de largeur, compte sept haubans au mât principal, six en misaine et quatre en artimon, pour les étages inférieurs et de chaque côté évidemment. Les huniers et perroquets sont attachés à la coque par deux galhaubans et par trois ou quatre haubans à leurs hunes respectives.

Les haubans inférieurs du *Machault* sont fixés à la coque par des chaînes (fig. 22). Ceux des huniers et perroquets le sont évidemment à leurs hunes respectives. Dans le cas du *Machault*, les porte-haubans sont placés en haut des sabords, à l'instar de la plupart des frégates de calibre 12. Il en va également de même pour les porte-haubans du *Dorsetshire*, et de l'*Achilles* (fig. 18), ainsi que pour le vaisseau de 20 canons (fig. 21) représenté à Ristigouche par le *Scarborough*. Tout comme les frégates françaises de calibre 8, les porte-haubans du *Repulse-Bellone* (fig. 9 et 10) sont en bas des sabords. Cette position différente des porte-haubans sur les frégates de calibre 8 et 12 s'explique par la rentrée habituellement moins forte des frégates de 12. Une rentrée plus prononcée diminue l'écart des haubans et par conséquent la solidité qu'ils confèrent à la mâture. Les fouilles archéologiques du *Machault* révèlent six différents types de caps de mouton, en bois d'orme, circulaires et tous munis de trois trous, permettant de raidir les haubans (fig. 23); un septième type, à deux trous, offre une forme de poire. Le diamètre de ces caps de mouton varie de 4 et demi à 18 pouces.

Toutes les poulies du *Machault*, pour les manœuvres courantes, ont des coquilles en bois d'orme et des réas* (ou rouet) en bois de gayac (fig. 20). Ces poulies sont simples, doubles ou triples selon le nombre de réas parallèles qu'elles possèdent. Les poulies violons ont deux réas, posés l'un au-dessus de l'autre. Les poulies du *Machault* proviennent originellement de Saint-Sébastien (append. B). Au moins 750 poulies sont nécessaires pour le gréement d'une frégate de bonne taille. Certaines sont cerclées de fer lorsqu'elles sont sujettes à une

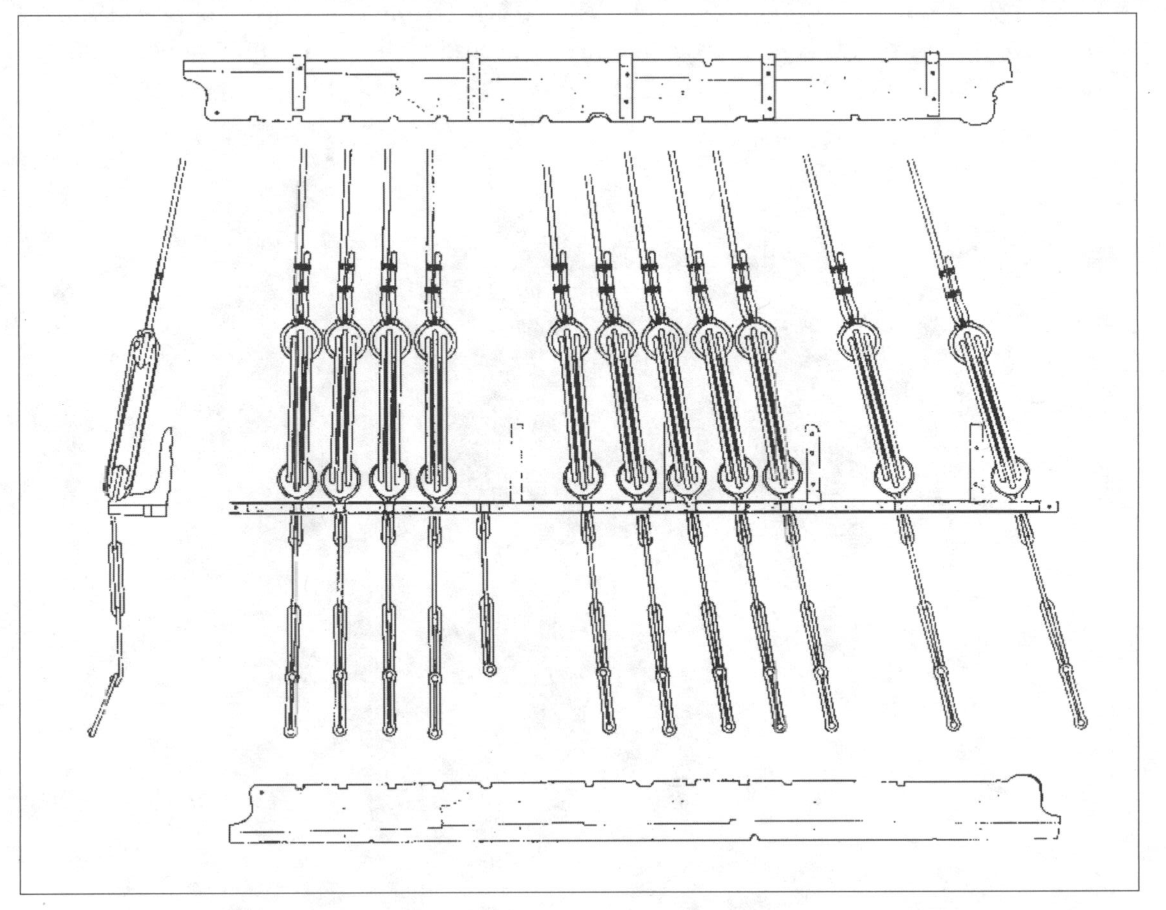

22 Dessin des haubans, caps de mouton et porte-haubans du *Machault. Ministère du Patrimoine canadien.*

23 Frégate à la voile, XVIIIe siècle. Avec ses 11 ou 12 canons en batterie, le gréement de cette frégate toutes voiles dehors est probablement similaire, à l'exception de la fixation des haubans, à celui du *Machault. Paris, Bibliothèque nationale de France, Estampes.*

plus forte pression. Le diamètre des poulies d'un navire de 350 tonneaux par exemple varie de 5 à 18 pouces, et ses caps de moutons de 4 à 16 pouces. Ces poulies peuvent être peintes, comme le suggère les traces de peinture rouge relevées sur des poulies simples du sloop *Boscawen* lors de fouilles archéologiques au lac Champlain. Les seps de drisse qui favorisent le fonctionnementt des vergues sont munis de palans à quatre ou à cinq réas, tandis que les vergues sont attachées aux mâts par des colliers de pomme de racage. Des taquets* métalliques ou en bois, fixés au bastingage des bâtiments (fig. 18), permettent d'y attacher les extrémités des cordages.

Les voiles

Pour gréer une frégate de 24 canons de 8 livres de calibre sur son pont et de six sur son gaillard, mesurant 106 pieds de quille et 31 pieds de bau, il faut 800 quintaux de cordage et 8000 aunes* de toile à voile (fig. 23). Le *Machault* étant légèrement plus grand, les quantités nécessaires à son gréement doivent être quelque peu supérieures. À titre de comparaison, la grande voile et le grand hunier d'un vaisseau de 74 canons comme le *Fame* nécessitent environ 1683 verges de toile. Des navires de moindre taille exigent aussi de bonne quantité de toile. Pour remplacer les voiles de grand hunier et d'artimon d'un senaut* de 100 tonneaux, son capitaine se procure, à Québec en 1757, 183 aunes de toile, 111 pour les grand et petit perroquets. Les toiles à voiles ne doivent pas être trop rousses (rouies), ce qui les raidit, ni trop blanchies car elles sont alors plus fragiles. La trame de ces toiles est à 1, 2, 3 ou 4 fils. Les toiles d'origines hollandaise et anglaise sont apparemment supérieures à celles fabriquées en France, où les meilleures cependant sont bretonnes.

La voilure comprend deux espèces de voiles, soit les portantes ou motrices et les voiles de manœuvre. Les voiles portantes sont perpendiculaires à la quille et supportées par des vergues. Il s'agit de voiles carrées, trapézoïdales en fait, pouvant être agrandies par l'ajout de bonnettes* et offrant ainsi une meilleure prise au vent. Les voiles de manœuvre sont longitudinales à la quille et, à l'exception de la voile d'artimon, sont soutenues par des cordages. Elles sont surtout triangulaires. Compte tenu des différentes pièces qui composent sa mâture, une frégate comme le *Machault* comprend à l'étage inférieur, de l'avant à l'arrière, la voile d'artimon, la grande voile, la misaine et la civadière*. Au-dessus, et toujours dans le même ordre, les voiles sont le perroquet de fougue, le grand hunier, le petit hunier et la contre-civadière. Au dernier étage se trouvent finalement la perruche de fougue, les voiles de grand et petit perroquet. Les voiles d'étais et les focs*, triangulaires, sont disposés à raison de deux ou trois entre chaque mât. Les voiles de cacatois*, formant un quatrième étage à la mâture, n'apparaissent que tardivement au XVIIIe siècle et n'existent pas encore à l'époque de la bataille de la Ristigouche.

Décorations et sculptures

La proue et la poupe sont habituellement les parties les plus ornées des voiliers. Des figures de proue sous forme de figures humaines, divinités mythiques, animaux ou, à tout le moins, des écussons* sculptés, décorent l'avant des navires (fig. 24). Le *Machault*, à cause de l'origine de son nom, est certainement muni d'une figure de proue représentant une forme humaine. La décoration du *Castor*, frégate royale construite à Québec dans les années 1740, nous le laisse croire; elle indique que « The ship is square stern decorated with light carv'd work, as are the quarter pieces & 2 small flat galleries ...has a knee of the head with a carved figure of a Beaver let thereon his forefeet supported on a shield with three flowers de lis...»[27]. Le *Joseph-Louis* de 330 tonneaux environ avec « sa poulaine* garnie d'un lion, avec ses herpes*, son couronnement et bouteilles en esculterie »[28], offre probablement une décoration assez typique des navires marchands de cette taille, représentés à Ristigouche par le *Marquis-de-Malause* et le *Bienfaisant*. La *Bellone*, future *Repulse*, est ornée d'une figure

27 Londres, National Maritime Museum, Admiralty, B 137. « Le navire est à poupe carrée avec de légères décorations sculptées, tout comme sont les estains et 2 galeries étroites. L'éperon est orné d'un castor sculpté dont les pattes avant reposent sur un écusson décoré de trois fleurs de lys...» [traduction de l'auteur]

28 Cavignac, Jean. *Jean Pellet, commerçant de gros 1694-1772*, Paris, S.E.V.P.E.N., 1967, p. 344.

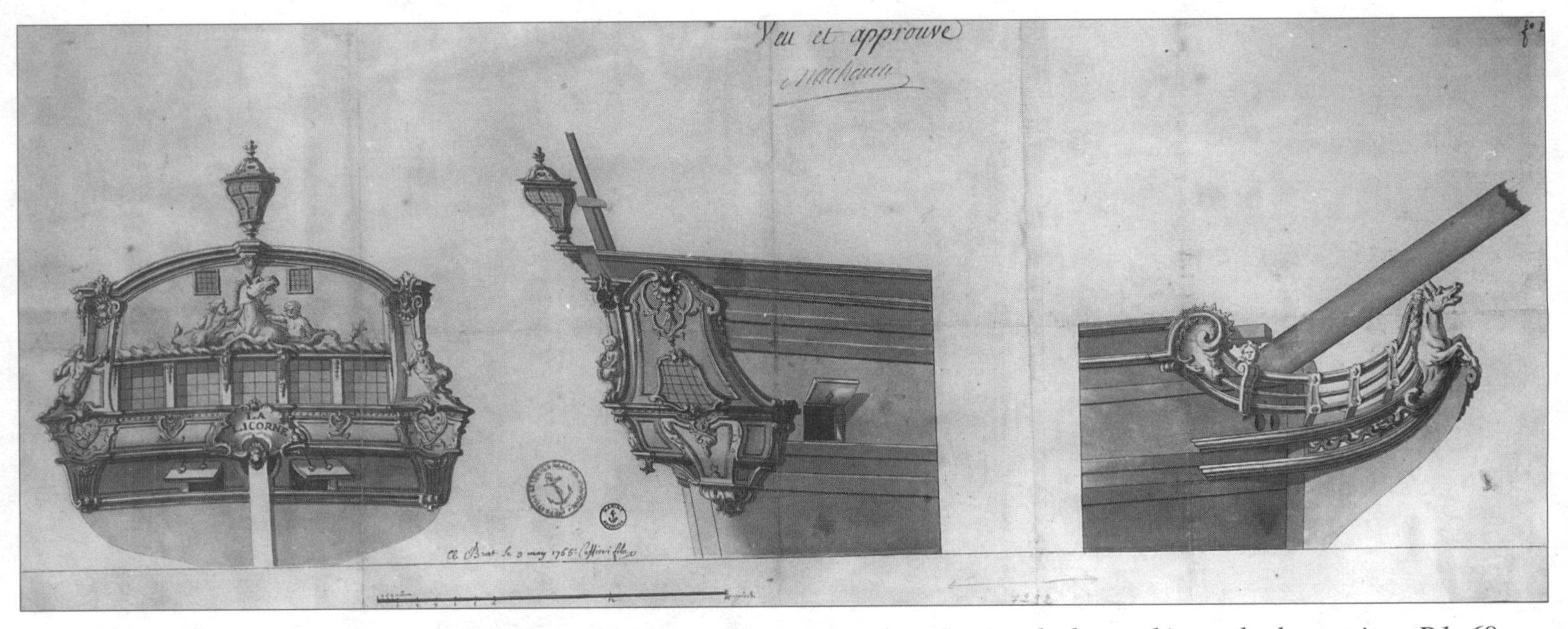

24 Décor de la *Licorne,* dessin de Caffiéri. *France, Archives nationales, Service hydrographique de la marine, D1 68.*

de femme tandis qu'un soldat représentant le légendaire roi de Thessalie, héros de l'Iliade, garnit la proue de l'*Achilles* (fig. 17).

Les côtés de la poulaine sont fermés par trois rangs de herpes allant de l'éperon aux joues* du navire. De chaque côté de l'éperon, deux écubiers donnent normalement sur le pont supérieur. Leurs orifices garnis de plomb ont à peu près deux fois et demi la taille du plus gros câble qui peut y glisser. À l'intérieur, la gatte* forme un réduit permettant aux câbles de s'égoutter et empêchant l'eau, qui peut pénétrer par les écubiers, de se répandre partout. Les ponts des gaillards sont bordés par des fronteaux* faits de lisses* et batayoles*, ou supports de bois ou de fer, pour garantir des chutes. La cloche du navire est le plus souvent montée dans le fronteau du gaillard avant. Le compte de construction du *Machault* mentionne l'achat de deux cloches pesant 160 livres. Les passavants sont aussi protégés par des lisses. Tous les navires, les plus petits particulièrement, ne sont pas aussi décorés. C'est le cas de l'*Épreuve*, frégate française de 260 tonneaux que les charpentiers anglais décrivent ainsi suite à sa capture, « neither has she any carved Tafferel or quarter pieces, nor figure at her head, more than a shield at the head scarce any décorations are to be found about either within or without board... It had no light but from a small grating on the quarterdeck »[29].

L'étude des plans et de quelques illustrations de modèles anciens démontre que les poupes de navires sont très souvent ornées de sculptures plus ou moins élaborées selon la taille des voiliers. L'exemple de l'*Achilles* est fort éloquent à cet égard (fig. 25). On trouve habituellement au tableau arrière des vaisseaux deux rangées de fenêtres, une galerie et deux ou trois lanternes* au couronnement. La galerie est sise niveau dunette. Les flancs arrières se terminent par des bouteilles avec fenestration et sculptures. Les bastingages de gaillards et de dunettes des vaisseaux, du moins, sont souvent décorés de dessins

29 Londres, National Maritime Museum, Admiralty B, vol. 166: « Elle n'a ni lisse de couronnement ni estains sculptés; on trouve peu de décorations à l'intérieur comme à l'extérieur et pour toute figure de proue, un écusson... L'éclairage sur le gaillard arrière provient d'une petite écoutille à caillebotis. » [traduction de l'auteur]

25 Modèle du *Achilles* de 60 canons qui est présent à Ristigouche, daté de 1757. *Science Museum, Londres/Science & Society Picture Library.*

de trophées et de guirlandes peints sur les flancs extérieurs. L'*Achilles* en est chargé. Le *Fame* et le *Dorsetshire*, plus puissants, sont sans doute tout aussi décorés. La présence de galeries sur les frégates royales françaises étant exceptionnelle, il n'y en a vraisemblablement pas sur le *Machault*, une frégate privée. De plus, les aménagements des corsaires français manquent parfois de fini. Le *Repulse-Bellone* semble dépourvu de galerie selon les plans (fig. 9). Une rangée de fenêtres, ou deux s'il y a dunette, deux bouteilles, des lanternes et quelques sculptures constituent le plus souvent l'ornementation des poupes des frégates et navires marchands de plus de 300 tonneaux. Les noms des navires français sont habituellement peints, en cartouche, au tableau arrière.

Calfatage et peinture

L'étanchéité des navires est assurée par de l'étoupe entre les madriers. Le calfatage* est primordial dans le bordé à franc bord. En théorie, il y a pour plus de 9000 livres d'étoupe et de brai insérés dans les fentes du *Machault* (tableau 4). Les archéologues ont retrouvé une vingtaine d'outils servant au calfatage à bord de l'épave du *Machault*. Ces outils sont de qualité moyenne, assez peu variés, mais bien représentatifs d'un coffre de calfat. Par ailleurs à l'examen de la coque du *Machault*, « no remains were recovered to suggest evidence for breaming, pitch coating, sheating, painting or leading »[30]. Le couroi blanc composé de brai sec, de souffre et de suif, et qui constitue un enduit imperméabilisant, semble pourtant d'un usage courant sur les anciens voiliers. Le compte d'armement en 1759 du *Machault* mentionne l'achat de 47 barils de goudron et de brai sec et gras. La peinture est aussi un produit employé sur les voiliers de l'époque, même ceux de petite taille. Les navires marchands offrent différentes combinaisons de jaune, rouge, bleu, vert et blanc. Sur les navires de

---

30 Ross, Lester A. « Eighteenth-Century French Naval Duties as Reflected by the Tools Recovered from Le *Machault*, A 5th-Rate Frigate Sunk in Chaleur Bay, Quebec, AD 1760 ». Rapport sur microfiches n° 137, Ottawa, Parcs Canada, 1981, p. 213. « Aucun des vestiges récupérés ne suggérait des opérations de chauffage*, braiage*, doublage, ni même la présence de peinture ou de plomb. » [traduction de l'auteur]

commerce de la Compagnie française des Indes, « les peintures sont celles des vaisseaux du roi, ceinture et préceintes noires, batterie en ocre jaune, les hauts en bleu ou parfois en vert olive; les intérieurs en ocre rouge »[31]. À l'intérieur, également, les logements sont le plus souvent en gris ou blanc. Sur les vaisseaux royaux, l'utilisation des peintures semble plus uniforme et les distinctions ne semblent pas trop grandes entre marines française et anglaise. Les coques sous la flottaison sont recouvertes de couroi blanc, les préceintes noires, les batteries sont en ocre jaune, et les hauts en bleu avec quelques dessins de trophées. Le jaune de Naples, qui simule la dorure, est surtout utilisé pour les sculptures. L'examen du modèle de l'*Achilles* (fig. 25) est révélateur sur l'usage de la peinture dans la marine.

Pour la frégate canadienne le *Castor*, à Québec en 1744, on prévoit 500 livres d'ocre rouge et 600 livres de blanc d'Espagne. L'ocre rouge, qui imite le sang fraîchement séché, a sans doute des effets psychologiques en masquant les effets d'un sanglant combat; c'est aussi apparemment un bon agent de conservation du bois. Les navires corsaires, les pirates surtout, sont souvent complètement peints en noir. L'usage du noir est surtout systématique, dans toutes les marines, sur les ferrures et l'artillerie. Dans le cas du *Machault*, selon les comptes de construction en 1758 et d'armement l'année suivante, deux peintres reçoivent un total de 1000 livres tournois pour peindre la frégate. Les teintes utilisées comme les sections peintes ne sont malheureusement pas précisées, à l'exception unique de pavois de toile peints en rouge. Les pavois sont utilisés normalement le long des lisses de bastingage, vis-à-vis les passavants particulièrement, et servent aussi à entourer les hunes dans les mâts. Des préceintes noires, une batterie en jaune pâle et des intérieurs en rouge, des logements en gris ou blanc, sont vraisemblables pour le *Machault*.

Pompes et cabestans, chaloupes et canots

L'installation de pompes permet de pallier aux infiltrations d'eau, inévitables sur les navires malgré tous les travaux de calfatage. Le

31 Boudriot, Jean, *Compagnie des Indes, 1720-1770: Vaisseaux, hommes, voyages, commerce*, Paris, ANCRE, 1983, p. 59.

26 Pompe du *Machault,* localisée près du mât central et servant à évacuer les eaux qui s'infiltrent à bord. *Ministère du Patrimoine canadien.*

grand mât du *Machault* est flanqué de chaque côté de deux pompes; les archéologues, à Ristigouche, en ont récupéré trois avec une bonne quantité de valves et pistons (fig. 26 et 27). Une petite variation dans la dimension intérieure des tuyaux explique sans doute les deux tailles distinctes de valves et de pistons retrouvés. Les tuyaux et pistons de pompe du *Machault*, du type commun à succion, sont en bois d'orme. Les tuyaux de pompe sont habituellement installés à l'intérieur d'une archipompe constituée de quatre montants de chênes recouverts de planches entourant le mât principal. Les aiguillers, canaux taillés le long de la quille, y amènent l'eau. Dans le compte de construction du *Machault*, une pompe aspirante et refoulante achetée à Bordeaux coûte 136 livres tournois.

Les pompes, sur les frégates à une seule batterie comme le *Machault*, déchargent leurs eaux sur le pont. Le grand mât de la *Mignonne*, frégate de calibre 8 légèrement plus petite que le *Machault*, est aussi flanqué de quatre pompes entièrement en bois et de son archipompe. Une des pompes du *Repulse-Bellone* est une pompe à la royale, c'est-à-dire avec corps central en bronze. Ce type de pompe qui se répand en France depuis les années 1720 ne semble pas encore généralisé dans la marine marchande, et même une des pompes du *Repulse-Bellone* est toujours en bois. Le *Content* de 64 canons possède aussi quatre pompes auprès du mât central; il s'y ajoute cependant deux pompes dans le puits pour le fanal de la soute aux poudres. Les vaisseaux anglais présents à Ristigouche ont sans doute les mêmes installations que le *Content*. Notons sur les vaisseaux, c'est le cas de l'*Achilles*, que les pompes se vident en entrepont, la hauteur de batterie en haut de la flottaison le permettant.

Le cabestan, servant principalement à lever les ancres et à mouvoir les vergues, constitue un autre appareil indispensable au bon fonctionnement des voiliers de l'époque. On en trouve habituellement deux sur les vaisseaux et les frégates. Sur l'*Achilles* comme sur le *Dorsetshire,* il s'agit de deux cabestans doubles, ou à deux cloches, placés en entrepont et sur le pont supérieur avec une mèche solidement ancrée dans un étambrai chevillé sur deux baux; ils sont tous les deux à peu près équidistants à l'avant et à l'arrière du grand mât

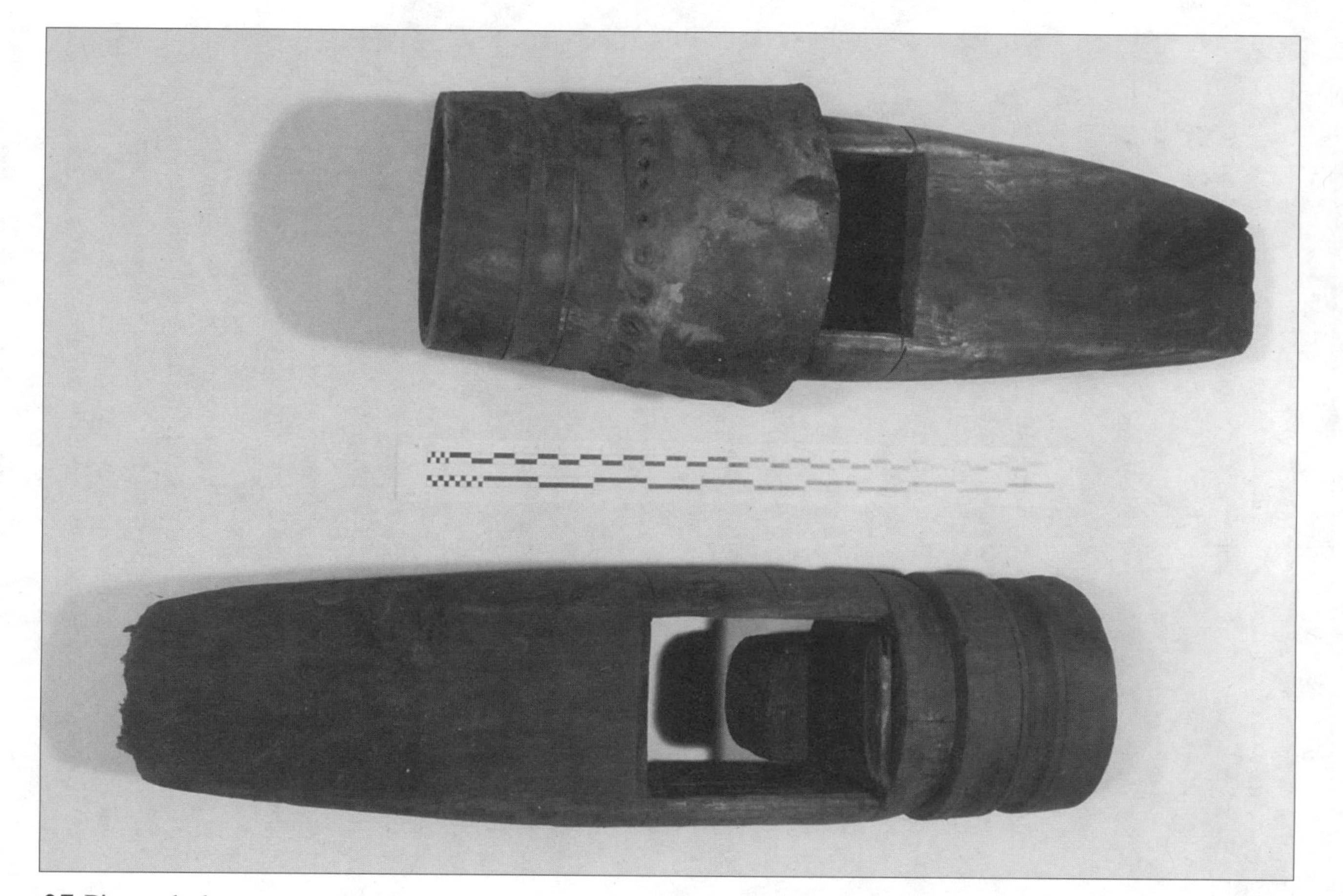

27 Piston de la pompe, en bois d'orme, circulant à l'intérieur du tuyau de pompe pour aspirer l'eau sur le pont. *Ministère du Patrimoine canadien.*

(fig. 18). Sur les frégates française et navires marchands, les cabestans ne sont pas doubles. Il y en a un sur le gaillard avant et le second en arrière du grand mât sur le pont batterie; ils sont souvent ancrés à l'étage inférieur. La frégate *Friponne* de 350 tonneaux possède un cabestan à 12 barres, bien que 14 soient souhaitables pour éviter d'avoir à utiliser une marguerite*. Le *Ville-de-Bordeaux* de 600 tonneaux a un cabestan à 10 barres, et le *Joseph-Louis* de 330 tonneaux environ, un cabestan à 8. Les cabestans du *Machault*, du *Repulse-Bellone*, et des deux navires français à Ristigouche sont certainement des cabestans simples possédant entre 8 et 12 barres pour les actionner.

Tous les voiliers de l'époque sont munis d'au moins une embarcation, deux le plus souvent à partir d'un certain tonnage, pour faciliter les communications et permettre les rencontres. On trouve sur le *Pallas* de 250 tonneaux : « Plus une chaloupe et un canot neuf proportionnés à la grandeur du navire avec leur gouvernail et ferrure en place, guindeau* et d'aviet* pour lad. chaloupe et leur fasson de mature »[32]. Les archives fournissent l'exemple d'un senaut de 100 tonneaux possédant un canot de 17 pieds de longueur de quille et de 5 pieds 2 pouces de bau. Le *Machault*, comme tous les autres vaisseaux et navires à Ristigouche, dispose donc de deux embarcations aux dimensions certainement supérieures au canot du senaut. Lorsqu'elles ne sont pas en usage, elles sont placées l'une dans l'autre en avant du grand mât, dans l'embelle. La chaloupe du *Machault* est aussi, sans doute pour la protéger, recouverte de tapis; il y a également à bord de la frégate douze avirons de 35 pieds et seize de 12 pieds. Les avirons de 35 pieds sont probablement utilisés dans les sabords de la frégate par les marins du *Machault*, en cas de grande difficulté ou pour permettre les accostages.

Le gouvernail et les ancres

Depuis le XIIe siècle, la plupart des voiliers disposent du gouvernail d'étambot pour faciliter leur direction. On connaît, grâce à l'archéologie, les dimensions et fixations de celui du *Machault* (fig. 15) avec

32 Cavignac, Jean, *Jean Pellet, commerçant de gros 1694-1772*, Paris, S.E.V.P.E.N., 1967, p. 336.

ses 31 pieds de hauteur et ses gonds de 16 à 18 pouces. Si le nombre de ces attaches semble suffisant (cinq pour le *Machault*), leur efficacité laisse parfois à désirer. Le devis de retour de campagne de l'*Hermione* signale ainsi : « Les essieux du gouvernail à visiter ayant beaucoup de jeu dans ses roses ce qui fait qu'il fatigue beaucoup à la mer les chesnes de la sauvegarde dudit gouvernail à faire à neuf »[33]. Afin d'éviter de perdre un gouvernail accidentellement, on passe une chaîne, fixée par deux boucles aux côtés du navire, à travers un trou dans le bois, à environ 15 pouces en haut de la ligne de flottaison.

Le gouvernail monte à environ 12 à 14 pouces en haut de la tête de l'étambot[34] et pénètre, par la jaumière*, dans la voûte à l'intérieur du navire. Depuis le début du XVIIIe siècle (1708), une roue permet la manœuvre du gouvernail. Cette roue a habituellement un diamètre de quelque cinq pieds et possède un tambour de 20 pouces. La roue du gouvernail, sur des vaisseaux comme l'*Achilles* et le *Dorsetshire*, est placée sous le gaillard arrière, derrière le mât d'artimon. Il s'agit pour ces vaisseaux de roue double. Le *Repulse-Bellone* dispose d'un gouvernail à roue simple, localisée également derrière le mât d'artimon, mais fixée sur le gaillard comme pour toutes les frégates (fig. 10). La barre, reliant le gouvernail à la roue et ses câbles, passe le plus souvent à l'intérieur de la grande chambre, située sous le gaillard ou en entrepont. Les mêmes installations se retrouvent selon toute vraisemblance sur le *Machault*, comme sur les *Bienfaisant* et *Marquis-de-Malause.*

Une frégate de la taille du *Machault* requiert normalement cinq ancres pour garantir sa sécurité (fig. 28). La *Comète*, frégate de 26 canons de calibre 8 et de 32 pieds de bau, dispose d'ancres pesant

33 Londres, Public Record Office, High Court of Admiralty 32 vol. 198; France, Archives maritimes, Rochefort, 2G2, liasse 2. C'est aussi le cas de la *Friponne* dont « les essieux du gouvernail ont un jeu extreme dans leurs roses ce qui fait que le gouvernail fatigue considérablement l'étambot ».

34 Comme le gouvernail du *Machault* mesure 31 pieds selon les données archéologiques, son étambot doit faire environ 30 pieds. Pour une frégate de taille comparable (le *Castor*). l'étambot contient 100 pieds cubes de bois. France, Archives nationales, Col. C11A. vol. 80, fol. 109-109v.

28 Ancre du *Machault. Ministère du Patrimoine canadien.*

de 800 à 3000 livres pour un poids total de 10 100 livres. L'absence d'une cinquième ancre pour le *Repulse-Bellone* s'explique sans doute par le fait que le devis de cette frégate suit de très près sa capture par les Anglais. Dans le cas du *Machault*, selon le compte de construction de 1758, l'achat de cinq ancres coûte près de 14 000 livres tournois. Les ancres de cette frégate de 32 pieds de bau sont sans doute similaires à celles de la *Comète*. On sait qu'une ancre de remplacement pour le *Machault*, achetée en Espagne en 1759, pèse 2405 livres. Les papiers de Jean Marie Lorant, pilote de vaisseau, exposent aussi des méthodes pour calculer le poids des ancres et de leurs câbles selon les dimensions d'un bâtiment.

Le poids des ancres est égal à la moitié de celui des câbles « et le maitre-cable aura en grosseur la moitié du bau ». Le maître-câble du *Machault* fait donc 16 pouces de circonférence, et 120 brasses pèsent aux environs de 6000 livres. Il s'agit sans doute d'un minimum. Les ancres du *Fame* de 74 canons totalisent un poids de 14 tonnes et leurs câbles 34, apparemment. Les câbles des ancres passent par les écubiers sis à ras le pont de batterie pour les frégates ou en entrepont pour les vaisseaux de deux ou trois ponts. Les câbles des ancres s'enroulent autour des grandes bittes* dont les montants reposent sur le vaigrage, en fond de cale. Les bossoirs, ces poutres qui permettent de manœuvrer les ancres, projettent sur l'avant du navire légèrement en oblique. Les deux bossoirs d'un vaisseau de 700 tonneaux construit dans le gouvernement de Montréal en 1740 mesurent 20 pieds de long et font 15 pouces en carré. « Another unusual feature on la *Licorne* is the orientation of the catheads. Instead of projecting out from the side of the hull, they extend forward in a fashion that dœs not allow much clearance with the headrails and bumkins »[35]. Les bossoirs du *Machault*, également dessiné comme la *Licorne* par un Geffroy, ont sans doute la même orientation et un volume comparable.

35 Hahn, Harold M. « La *Licorne*: 32-Gun French Frigate » dans le *Nautical Research Journal,* 1992, vol. 37, p. 36-43. « L'orientation des bossoirs sur la *Licorne* est aussi inhabituelle. Au lieu de se projeter sur les côtés de la coque, ils sont dirigés sur l'avant d'une façon qui ne donne pas beaucoup d'espace libre aux parapets de poulaine et boute-lofs. » [traduction de l'auteur]

Artillerie
Parmi les agrès et apparaux nécessaires à l'armement du *Machault*, les canons constituent les pièces d'équipement les plus connues. Lors de son premier armement en 1758, le *Machault* compte 24 canons de 12 livres, 2 de 6 livres et 800 boulets de 12 livres. Pour la campagne de 1760, la frégate transporte 1100 coups de canons. Les archéologues, lors des fouilles du *Machault*, ont récupéré environ 500 boulets en fer portant la fleur de lys française. Les munitions ne sont donc pas épuisées lors du sabordage. Dans la baie des Chaleurs en 1760, l'artillerie française oppose 54 canons aux 256 anglais de différents calibres (fig. 29). Le tableau 4 sur les dimensions des vaisseaux anglais précise les calibres de l'artillerie anglaise. La puissance de feu du *Repulse* est comparable à celle du *Machault*. Toute l'artillerie sur un vaisseau comme le *Fame* de 74 canons représente également un poids d'environ 157 tonneaux, les affûts, 27 tonneaux. Même si le nombre de canons à bord du *Machault* varie selon les campagnes, il n'y que douze sabords par côté sur le pont batterie. Les sabords de batterie, probablement à six pieds six pouces d'intervalle sur le *Machault*, sont percés dans les couples de remplissage pour ne pas affaiblir les couples de levée.

Les canons et leurs affûts, à cause de leur poids élevé, sont localisés au-dessus des baux. Les contraintes imposées au *Repulse-Bellone,* en changeant le calibre de son artillerie après sa capture, obligent à renforcer ses baux avec des courbes supplémentaires. Sur les vaisseaux anglais à deux étages de batterie, les sabords sont décalés de façon que les courbes d'un bau ne gênent pas l'ouverture d'un sabord de l'autre batterie. Les affûts de canon du *Machault* sont en bois d'orme, les essieux en chêne : les affûts sont amarrés à la coque pour atténuer le recul des canons lors des tirs ou leur déplacement au roulis. Les affûts mesurent en général les 3/5e de la longueur des canons, et leur hauteur est d'environ le tiers de la longueur du canon toujours. La cadence de tir pour le canon de calibre 18 est de 5 minutes, de 4 pour le calibre 8. Nous pouvons donc imaginer la vitesse du tir des canons du *Machault*. S'il y a efficacité des coups à 600 mètres, ceux-ci semblent assurés à 300. Lors du combat du 8 juillet, les deux frégates sont à demi-portée de canons.

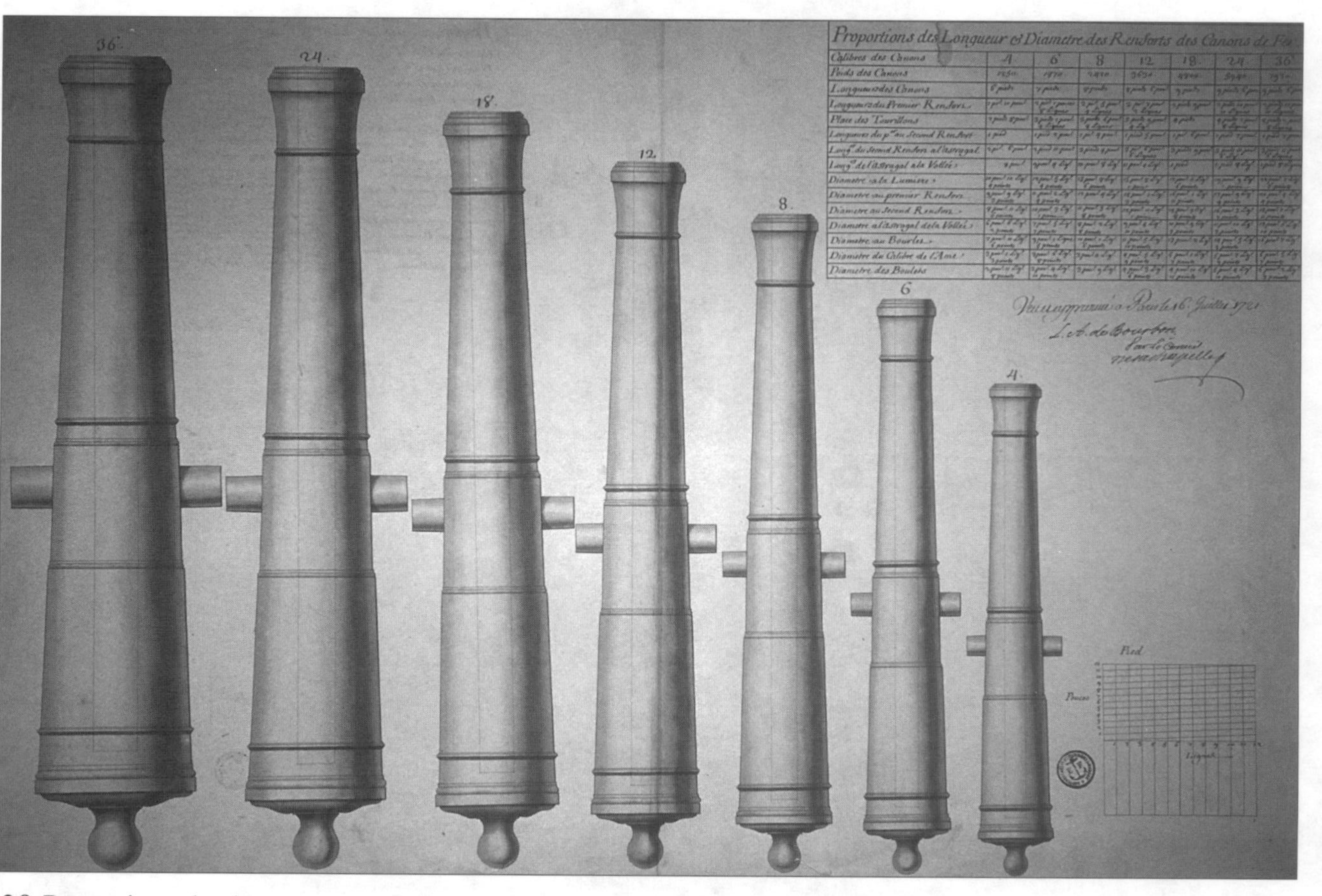

29 Proportions des longueurs et diamètres des canons de fer, Paris, 1721. *France, Archives nationales, Service hydrographique de la marine.*

Partir en mer

Le personnel maritime

Pour manœuvrer tous ces navires et pointer les canons, un personnel imposant est évidemment nécessaire. Le rôle d'équipage du *Machault* pour l'expédition de 1760 n'existe plus. On peut cependant déduire avec assez d'exactitude quelle est la taille de son équipage à ce moment-là. Sur un tel bâtiment, plus de 300 personnes s'entassent pour des campagnes plus ou moins longues. En fait, lors de sa première sortie, en 1758, pour se livrer à la course, le *Machault* compte 303 personnes à son bord. Le tableau 7 indique le nombre de personnes requises pour assurer la manœuvre de différents types de voiliers. En les répartissant selon les grades ou l'occupation, on dénombre le personnel du *Machault*, frégate de course en 1758, du *Machault*, frégate d'escorte en 1759, et du *Maréchal-de-Senneterre*, une autre frégate également. Les équipages de deux navires marchands, qui font partie de l'expédition de 1760 vers le Canada, mais qui sont capturés en quittant les côtes françaises[36], sont aussi indiqués dans le tableau. Il s'agit des équipages de l'*Aurore* de 450 tonneaux et du *Soleil* de 350 tonneaux.

Malgré une différence de jauge assez importante entre l'*Aurore* et le *Soleil*, le personnel est sensiblement identique à bord des deux voiliers. Les trois autres navires qui prennent part à l'expédition de 1760, le *Bienfaisant*, le *Marquis-de-Malause* et le *Fidélité*, ont donc vraisemblablement des équipages semblables, 40 membres environ, leurs tonnages étant à peu près identiques à ceux de l'*Aurore* et du *Soleil*. Le nombre de personnes requises pour la manœuvre d'un navire marchand et celle d'un bâtiment de guerre est en l'occurrence très disparate. Ainsi, pour armer des frégates royales de 30, 26 et

36 Les informations sur les équipages du *Machault* 1758-1759, du *Maréchal-de-Senneterre*, du *Soleil* et de l'*Aurore*, comme leur nombre, moyennes d'âge, salaires, proviennent des rôles d'équipage de ces différents navires. Ces documents contiennent également quelques indications sur la jauge et l'armement des navires. France, Archives maritimes, Rochefort, 13 P 8, vol. 26, n°s 72-73, vol. 112, pièce 20. Londres, Public Record Office, High Court of Admiralty 32, liasses 165 et 243; le *Soleil* et l'*Aurore* étant capturés par les Anglais, leurs papiers sont déposés dans les archives londoniennes.

24 canons en 1758, l'équipage se chiffre à 182 personnes. Le caractère restreint de l'échantillon n'en est pas la cause puisque d'une façon générale, seuls les bâtiments de plus de 500 tonneaux comptent des équipages supérieurs à 60 hommes. La grande majorité des voiliers de commerce français ont une jauge inférieure à 500 tonneaux et seule la Compagnie des Indes possède des bâtiments commerciaux au tonnage plus élevé.

Si l'on retranche de l'équipage du *Machault* en 1758 tous les volontaires, qui sont en fait des soldats utilisés seulement dans les combats contre l'ennemi, le personnel nécessaire à la manœuvre du *Machault* se réduit à quelque 220 membres. Une activité de corsaire nécessite donc un personnel plus important, surtout chez les officiers majors et mariniers, et moindre lorsque le voilier sert d'escorte à un convoi, comme c'est le cas du *Machault* et du *Maréchal-de-Senneterre* en 1759. Tout en remplissant une fonction militaire, ces frégates appartiennent et sont armées par des particuliers. Les équipages nécessaires pour manœuvrer de telles frégates se comparent assez bien avec ceux des frégates de puissance semblable armées par le roi. Un équipage de 160 à 180 personnes suffit pour assurer la manœuvre du *Machault* en 1760. Chez les Anglais, le personnel des *Fame*, *Dorsetshire*, *Achilles*, *Repulse* et *Scarborough*, présents à Ristigouche, se situe aux environs de 1800 marins et soldats.

Selon l'ordonnance de la Marine de 1681, le personnel maritime régulier, pour des raisons évidentes de vigueur physique, doit avoir entre 17 et 50 ans. Les mousses sont plus jeunes. Les rôles d'équipages permettent de constater que l'âge moyen du marin est d'environ 24 à 25 ans, que l'on soit à bord d'un bâtiment de guerre ou marchand. Malgré un échantillonnage assez réduit, on peut penser, et cela à partir des moyennes d'âge observées (tableau 7), que l'on est mousse à 15 ans, novice à 20, matelot et officier non marinier à 25 et officier marinier à 30 ans. En plus du personnel marin, le *Machault* transporte en 1760 une centaine de soldats. En effet sur les 400 soldats embarqués à Bordeaux, 300 sont distribués sur les cinq navires marchands. En 1760 le *Machault*, frégate de 550 tonneaux, transporte donc à son bord entre 260 et 280 personnes.

Tableau 7 : Personnel maritime de navires marchands en Atlantique Nord

Grades/Navires	*Machault*		*Machault*		*Maréchal-de-Senneterre*		*Aurore*		*Soleil*	
	1758		1759		1759		1760		1760	
	Nombre	Âges	Nombre	Âges	Nombre	Âges	Nombre	Âges	Nombre	Âges
Officiers majors	17 (-1)*	27,4 (-27)*	7	27	8	31,5	4	34,8	4	33,5
Officierssurnuméraires	3	25,7	I	24	I	24	0		0	
Officiers mariniers	37 (-31)	30 (-29,5)	24 (-1)	28 (-25)	25 (-1)	27 (-33)	7	27,8	8	28
Officiers non mariniers	15	24,6	10	24,9	12	26,9	5	22,3	4	27,3
Matelots	95 (-58)	20,8 (-25,4)	80 (-16)	24,7 (-26,6)	80 (-49)	22,5 (-30,5)	14	24,8	12	25,3
Novices	7 (-7)	(-22,1)	33	19.8	28 (1)	21,1 (-28)	7	19	10	21,4
Mousses	25 (-1)	13,5 (-14)	11	14.6	11	14,2	4	15,3	4	15,5
Volontaires	79 (-18)	28,3 (-27,2)	0	N/A	2 (-2)	(-41)	1	17	1	22
Total	278	278	166	166	167	167	42	N/A	43	N/A
Individus échantillonés	N/A	228	N/A	163	N/A	162	N/A	38	N/A	43
Augmentation d'équipage	25	N/A	9	N/A	17	N/A	0	N/A	0	N/A
2e total	303	N/A	175	N/A	184	N/A	N/A	42	N/A	43
Total étrangers	(-116)	N/A	(-17)	N/A	(-53)	N/A	0	N/A	0	N/A
Moyenne générale	N/A	25 ans	N/A	23,8 ans	N/A	24,9 ans	N/A	24,1 ans	N/A	24,9 ans

Légende : *les chiffres entre parenthèses et précédés du signe moins comptabilisent des marins étrangers, espagnols surtout; N/A = non applicable.

Intimité et confort

> La seule vue de la Ste-Barbe où nous devions coucher pendant la traversée, nous déconcerta tous, moi le premier. C'est une chambre grande comme la Rhétorique de Bordeaux, où l'on voit suspendu en double rang des cadres, qui devaient servir de lit aux passagers, aux passagères, aux officiers inférieurs et aux canonniers. Nous étions pressés dans ce lieu obscur et infect comme des sardines dans une barrique. Nous ne pouvions nous rendre à nos lits sans nous heurter vingt fois la tête et les jambes. La bienséance ne nous permettait pas de nous déshabiller. Nos habits à la longue nous brisaient les reins. Le roulis de mon toit démontait nos cadres, et les mêlait les uns avec les autres. Une fois, je fus emporté avec mon cadre, sur un pauvre officier du Canada que je pris sous moi comme un quatre de chiffre. Je fus ainsi demi quart d'heure sans pouvoir me tirer de mon lit. Cependant l'officier étouffait et avait à peine la force de jurer.[37]

Cette description indique que les officiers, comme certains passagers, disposent de lits à bord des navires. Ils jouissent également de cabines particulières permanentes pour les officiers majors, soit les capitaines et lieutenants. Aux grades inférieurs, la cloison de cabine peut être une simple toile qui disparaît selon les exigences du service, au moment d'un combat par exemple. De toute évidence, l'intimité de l'officier est mieux préservée que celle du matelot.

Entassés sur le *Machault*, marins et soldats-passagers ne jouissent d'aucun confort. Pour toute literie, ils disposent d'un hamac et d'une couverture suspendus aux baux du bâtiment dans l'entrepont. Si la vague est un peu forte, l'eau s'infiltre et tout est détrempé. À cause des obligations du service, les marins se couchent toujours tout habillés. Travaillant selon des quarts de quatre heures, la moitié de l'équipage travaille pendant que l'autre partie prend ses repas ou se repose. Les marins s'échangent donc leur hamac. L'humidité, le port continuel des vêtements, l'échange de literie, toutes ces mesures ne favorisent guère l'hygiène.

---

37 Révérend Père Nau au Père Richard, Québec, 20-10-1734, dans *Rapport des archives de la province de Québec, 1926-1927,* Québec, Imprimerie L.A. Proulx, 1927, p. 267.

La journée du marin

Pour éviter que les matelots ne travaillent toujours selon le même horaire, il y a changement de bordée pendant le quart de travail de 16 à 20 heures. Pendant que sous la direction des officiers majors les officiers mariniers se préoccupent de manœuvre, de pilotage et donnent les ordres en conséquence, les officiers non mariniers remplissent également un rôle indispensable. Responsables de nourrir l'équipage, ils sont boulangers et cuisiniers; chargés de conserver les armes en bon état, ils sont armuriers. Les officiers ont habituellement une bonne expérience de la mer. Pour devenir capitaine par exemple, le candidat doit avoir au moins cinq années d'expérience et passer un examen jaugeant ses connaissances. Quant au reste de l'équipage, 60 pour cent environ, ce sont des exécutants. Tous ces marins sont engagés au mois.

Pendant que les mousses, qui en sont à leur première campagne, jouent les commissionnaires, les novices s'initient aux tâches des matelots, dont ils n'ont pas encore l'habilité ou les forces. Les matelots manœuvrent les voiles et les ancres. Selon leurs aptitudes, ils hissent, orientent, carguent la voile; ils lèvent ou mouillent l'ancre; ils se relaient à la pompe, tirent du canon parfois, ou avironnent à bord de la chaloupe ou du canot. Telles sont, en résumé, les tâches essentielles du matelot en mer. Toutefois lever une ancre qui peut quelquefois peser jusqu'à 3000 livres, déplacer une vergue qui mesure 70 pieds de longueur, régler un cordage raidi par l'humidité et le froid, toutes ces occupations sont souvent fort pénibles et exigent distractions tout comme une alimentation adéquate.

Les distractions

Pour se distraire en cours de traversée, marins et passagers participent, en arrivant sur les Grands Bancs de Terre-Neuve, au baptême de ceux qui en sont à leur premier voyage. Il s'agit d'une cérémonie d'initiation visant à ramasser un peu d'argent provenant de victimes qui peuvent s'en exempter en versant quelques pièces de monnaie. L'arrivée sur les bancs permet également à tous de pêcher et de consommer du poisson frais; après quelques semaines d'aliments très salés, cet événement est fort recherché. Ces distractions mises à part, les matelots peuvent toujours fumer la pipe, danser sur le gaillard ou fredonner quelques chansons. Toute la vie à bord est également des plus réglementées, faite d'une série d'interdits et d'obligations, auxquels dans l'univers fermé du voilier les marins se soustraient difficilement. Interdit de descendre à terre sans congé, interdit de découcher, de dormir dévêtu, obligation de respecter les officiers, de déclarer les déserteurs; on impose beaucoup au marin, on lui laisse peu d'échappatoire.

L'habit maritime

Si les officiers de la marine royale française portent l'uniforme bleu foncé et rouge depuis le début du XVIIIe siècle, les officiers anglais n'adoptent un costume, bleu également, qu'au début de 1748. La coupe de cet habillement est semblable à celle des vêtements civils. L'état des hardes délivrés aux matelots et embarqués sur la frégate du roi l'*Écho* en route pour Louisbourg en 1758 laisse supposer une certaine uniformité de vêtements chez les simples matelots. Bien que les couleurs ne soient pas précisées, les quantités et les prix indiqués incitent fortement à le croire. Dans la marine marchande française, les quelques inventaires d'officiers consultés n'indiquent pas la présence d'uniforme pour les officiers. L'habillement du capitaine marchand Mangon en 1755 ne mentionne par exemple que culotte noire, redingote bleue, des vestes grises, des chemises blanches, des paletots blanchâtres ou bourgognes. Les simples matelots ne sont certes pas mieux équipés. De toute évidence, seuls les officiers et soldats des Compagnies franches portent un uniforme à Ristigouche.

Rations alimentaires

Pour soutenir ses forces et faire face à son labeur, le marin dispose d'un régime alimentaire dont il est difficile, à deux siècles de distance, de calculer la valeur en calories et le contenu vitaminique : on peut tout au plus l'apprécier en le décrivant. Dans la marine royale, les ordonnances règlent le régime alimentaire et le marin se prive de viandes les mercredis, vendredis et samedis selon les préceptes de l'Église catholique. Sa ration quotidienne consiste en 18 onces de biscuit et trois quarts de pinte de vin mouillé d'autant d'eau pour faire trois chopines de breuvage; on lui distribue le tout en trois fois.

Les bidons de cinq litres environ retrouvés dans les fouilles du *Machault* servent à la distribution quotidienne des boissons.

Au déjeuner, le marin reçoit soit 1 once et demie de fromage, soit 4 onces de lard ou 1 once de poisson (sardine, hareng). Le dîner du midi est beaucoup plus substantiel puisque le marin a droit à 6 onces de lard salé, ou 8 onces de bœuf salé, ou 4 onces de morue; à cela s'ajoutent 2 onces de riz ou 4 onces de pois, fèves ou fayots. Ces légumes sont parfois remplacés par trois onces de fromage. Pour le repas du soir, vers 18 heures, la ration est de 4 onces de pois, fèves ou fayots. Tous ces mets sont assaisonnés de sel, d'huile d'olive et de vinaigre. Les ustensiles sont limités et répartis par groupe de sept hommes, chaque membre du groupe mangeant et s'abreuvant aux mêmes plats. Les officiers majors ont droit à une double ration et les officiers mariniers, à une ration et demie. De fait, l'État-major dans la marine royale a souvent droit à des fastes culinaires préparés grâce à des provisions abondantes par de bons cuisiniers et marmitons.

Les voiliers armés par les particuliers ne sont pas régis d'une façon aussi stricte dans le secteur alimentaire, mais en se fondant sur les vivres embarqués à bord du *Machault* en 1758 et 1759, le régime alimentaire des équipages de la marine marchande contient les mêmes produits de base que celui de la marine royale. Pour la campagne de 1759 du *Machault*, on embarque plus de 38 941 livres de biscuits et au moins 255 barriques d'eau douce. Ces quantités, nécessaires pour la traversée à Québec en 1759, se retrouvent probablement sur le *Machault* en 1760. Comme pour les états-majors des vaisseaux royaux, la situation alimentaire des officiers marchands est plus intéressante que celle des matelots. Les comptes de construction et armement du *Machault* font état d'une grande variété de viandes, charcuterie, légumes, condiments et boissons qui garnissent bien les tables des officiers. Les quantités comme les prix indiqués laissent supposer que les matelots et soldats du *Machault* varient parfois leur alimentation.

Au maximum, la ration du marin du roi fournit 3700 calories. Ce chiffre est fort loin des 4500 calories qu'exige un travail difficile. Plus que les déficiences caloriques, l'insuffisance en vitamines et en éléments nutritionnels surprend dans cette ration. Les vitamines A, C et D provenant de laitages, viandes et légumes frais, y sont en effet quantités négligeables. Les lipides, glucides et le calcium ne sont pas très abondants. Retards de croissance, rachitisme, scorbut et autres maladies en résultent. Une hygiène inadéquate, une alimentation déficiente, ces facteurs, combinés à un travail pénible accompli dans des conditions climatiques souvent changeantes, font réaliser comment le voilier est un milieu favorable au développement des maladies. Le scorbut provoqué par l'insuffisance de vitamine est la maladie la plus répandue sur les bâtiments traversant l'Atlantique. Les fièvres, qui prennent souvent un caractère épidémique, suivent de très près affectant tout le monde sans distinction. La vie du marin faisant la traversée atlantique, qu'il se rende à Ristigouche ou ailleurs, n'est pas des plus attrayante ou libre de tracasserie. À ce régime uniquement, les matelots et les soldats du *Machault* ont certainement besoin de repos en débarquant à terre en 1760, après sept ou huit semaines de traversée. La durée du siège et l'échec français sont donc facilement compréhensibles.

Ristigouche et son patrimoine maritime

Un siège d'une dizaine de jours et une bataille navale de quelques heures entre voiliers français et anglais engloutissent à Ristigouche plusieurs éléments du patrimoine maritime mondial. La dizaine de voiliers participant à la dernière bataille navale en Amérique du Nord, avant la capitulation du Canada en septembre 1760, sont un témoignage sur la construction navale franco-anglaise au XVIIIe siècle. L'analyse de leurs composantes illustre les diverses étapes de l'existence d'un voilier à partir des arbres de la forêt jusqu'aux combats navals, en passant par le cabinet du constructeur et le chantier naval. Les voiliers de Ristigouche attestent également des progrès suggérés par les expériences conduites, en France comme en Angleterre, en architecture navale.

L'époque de la construction du *Machault* correspond à une période d'innovation en construction royale navale française. Théoriciens et architectes de talent proposent de nouveaux types de bâtiments, élaborent des traités. Les travaux et réalisations de Blaise Ollivier, de Pierre Bouguer et de Duhamel du Monceau, le rappellent abondamment. La frégate légère à batterie unique de calibre 8, une initiative de Blaise Ollivier qui s'avère à l'essai peu efficace au combat pendant la guerre de Succession d'Autriche, est remplacée par une frégate au calibre plus élevé, la frégate de 12. Bien que cette frégate ne devienne vraiment populaire qu'après la guerre de Sept Ans, les premières réalisations en sont contemporaines. La construction navale française influence les étrangers et la présence de l'architecte scandinave Chapman sur un chantier dirigé par le constructeur Geffroy à Brest est révélatrice à ce sujet. Cette période de conflit avec ses prises de guerre, son espionnage, permet aussi l'étude des réalisations navales étrangères. Les Anglais, s'ils négligent la théorie, sont fort actifs dans ce domaine et commencent alors à prendre leurs distances avec les règles rigides édictées en construction navale anglaise depuis 1706; les dimensions des voiliers, toujours fixes et invariables, peuvent maintenant changer. Le vaisseau anglais de 74 canons remplace celui de 70. Le *Fame*, présent à Ristigouche, est le premier bâtiment commandé et construit comme vaisseau de 74 canons.

Ces bouleversements profitent inévitablement à la marine marchande. Le *Machault*, frégate de 12 construite en 1757, est l'une des premières tentatives de construction de cette catégorie de frégates. Réalisé selon des plans conçus par un constructeur appartenant à une famille d'experts en architecture navale, le *Machault* est sans aucun doute un bon exemple de construction navale. L'échantillonnage de cette frégate, révélé par les vestiges de Ristigouche, témoigne d'une construction apparemment solide. L'ossature du bâtiment constituée des varangues, genoux, allonges et baux, est renforcée des courbes, épontilles, guirlandes, marsouins et porques. La défaite de Ristigouche ne dépend pas d'une faiblesse architecturale. Le sabordage du *Machault* est plutôt l'évidence du contraire. Pourquoi livrer un bon bâtiment à l'ennemi? Les cœfficients, longueur/largeur et longueur/profondeur, tirés des dimensions du *Machault* établissent que cette frégate est légèrement plus élancée et moins profonde que les vaisseaux de la marine royale. Ce voilier est donc plus rapide et plus facilement maniable qu'un vaisseau de guerre. Par gros temps cependant, le *Machault* dérive sans doute plus facilement et tient donc moins bien la mer. Ceci semble un défaut général des frégates françaises.

La coïncidence entre les états de cargaison de navires participant à l'expédition de 1760 et l'espace frétable obtenu par le calcul du déplacement de ces navires et de leurs poids appuie la justesse d'analyses plutôt théoriques sur les quantités de matériaux nécessaires.

Les vestiges de Ristigouche, en indiquant par exemple les emplacements de soutes à matériel sur l'avant, de soutes à provision sur l'arrière du *Machault*, confirment les aménagements perceptibles sur les plans historiques. Si l'on différencie facilement les petits bâtiments, tels brigantins et goélettes, par le gréement, les distinctions sont moins évidentes entre frégate et navire marchand comme le *Machault* et le *Bienfaisant*. Pour les frégates et navires marchands, Blaise Olivier parle de construction semblable et il faut se rabattre sur des cœfficients, qui font des navires de commerce des bâtiments moins élancés et moins creux, pour les distinguer. Alors que les vestiges archéologiques de Ristigouche ne permettent pas d'apprécier la mâture et la voilure d'une frégate comme le *Machault*, les nombreux traités de l'époque offrent une mesure de l'importance du gréement des voiliers de 1760. L'extrême variété des cordages, nécessaires au bon fonctionnement d'un navire de 32 pieds de largeur, forme un réseau complexe de manœuvres courantes ou dormantes. La quantité impressionnante de poulies et caps de mouton requis pour gréer une frégate est également un bon indicateur de la complexité de l'architecture et de l'armement navals.

En 1760, la marine marchande agit comme substitut de la royale à Ristigouche. La guerre épuise le Canada et a raison des efforts de l'État français. L'aide est minimale malgré tous les espoirs des dirigeants canadiens et provient de la région de France la mieux outillée pour répondre aux exigences du commerce outre-atlantique. Un seul navire français dans le fleuve Saint-Laurent, pense Lévis au printemps, et le Canada redevient colonie française. Vrai ou faux? L'historien ne peut changer le cours de l'histoire, et l'expédition bordelaise de 1760, précédée dans le fleuve par la frégate anglaise *Lowestoffe*, donne dans la baie des Chaleurs. Le sort tragique que lui réserve la voix des canons est cependant porteur d'une multitude d'enseignements. Les vestiges archéologiques de Ristigouche sont non seulement des témoins importants du patrimoine maritime, mais également des sources inestimables de comparaison pour la compréhension de la culture matérielle et du commerce de la période coloniale nord-américaine. Ils les rendent tangibles.

Appendices

Cet ensemble documentaire regroupe deux textes qui révèlent des aspects indispensables à la compréhension des événements de 1760. Le premier manuscrit décrit la campagne de 1760 telle que vécue par les assiégés de la baie des Chaleurs. Le second examine les dimensions et l'échantillonnage architectural d'une frégate de 24 canons de 12 livres destinée à la course tout comme le *Machault* et construite selon les plans du même constructeur. Nous conservons l'orthographe originale de ces textes écrits très souvent de façon phonique. Un lexique, en fin de volume, veut faciliter la compréhension des termes d'architecture navale et de manœuvre nautique.

Appendice A :
Le voyage de la Giraudais : son récit de 1760[38]

JOURNAL DE LA CAMPAGNE Du S. GIRAUDAIS
SUR LE N^re LE MACHAULT

Precy de ce qui cest Passé de Puis mon depart de Bordeaux Jusqua mon arrivée a St ander En Espagne dans la Campagne de 1760 dans la fregatte du Roy le machaux Commandé par moy francois Chenard Giraudais.

Le Roy mayant conffié le commandement de la ditte fregatte armée à Bordeaux de 20 canons de 12 ll de Balle, Et de 8 de 6 ll Id. Et 150 : hommes d'Equipage menue armes à proportion Pour convoijé 5 Batiment marchand En canada, Scavoir, Le Bienfesant Capne grandmon, le marquis de maloze Capne larticle, la fidelité Capne Kanon le Jeune, le Soleil Capne Clemensaux, Et lorore Capne desmortié, tous 5 Insy que moy chargé de munition de Guerre Et Bouche pour La ditte Colonie avec 400 hommes de troupe dispersé Sur les 5 navire Et ma freg. nous Sommes Parties de la rivierre de Bordeaux le 10 avril 1760 les vants au N. E.-Petit frais à 10 hres du matin nous Estion dehors de tous les danger de la ditte rivierre Tous les 6, Et Plusieurs autres qui Setoient mist Sous mon Escortte pour vidé les Cap.

J'ay gouverné Jusqu'a la nuit le long de la costte darcason Et par Sa Latt. J'ay mist le cap à ouest Insis que tous les autres Batiment, Et le 11e courant J'ay Eu connoissance de plusieurs navire Sous le vent Et au vent; les vant au nord gouvernant Pour lors à ouest les Batiments du vant fesant la manœuvre de 2 navires Ennemis, Et les ayant reconnus pour tel dont un de 56 canons Et Lautre de 26 Jd. J'ay fait Signal a ma petite flotte de Sauve qui peut ce quils ont fait fesant routte depuis le S. O. Jusque SE. Et moy le cap à O N O. Les vant comme J'ay lay dit au nord Et les Enemis dans le nord faisant routte Sur nous, mais quand Ils mont vue mestre au plus prest du vant Et cargué mais Basses voiles, Ils mont donné tous deux le Bout Et comme le plus petit Estoit le plus prest de moy J'ay l'ay attandue Jusqu'a porté de canon Et reiglé ma voilure Sur la Sienne ce qui ne metoit Pas difficille ayant la marche Sur Eux deux, J'ay Eu lagrement de les faire me chassé

38 France, Archives de la Marine, série B4, vol. 98, 1760.

Et me tiré Jusqu'a la nuit Et Sauvé toute La flotte de 2 Batiment dont le plus Petit Estoit aussy fort que moy; le 12 le marquis de Malauze, Se rallia a moy, Et le 17, le Bienfezant, Je n'ay Eu aucunne Connoissance des autres, J'ay fait routte avec les 2 premiers Sans rencontrér rien, que Le 15e de may Estant nord Et Sud des Illes au oyzeaux a l'entré du fleuve Je m'emparé d'un navire anglois qui aloit a quebec Et qui ma prent Par des lettres que J'ay trouvé de dans que 5 ou 6 vaisseaux de guerre, Et autant de fregattes angloise mavoit Prevenue devant la ditte ville, Jasemblé Sur le champ un conseil ou il fut decidé de faire routte Pour la Baye des chaleurs, ce que Je fist, le 16 courant a la vue de Bonnavanture Je fist 4 Prises desquelles Je m'emparé, Et le 17e Etant un peu En dedans des pointes de l'entre de la Baye des chaleurs Je m'emparé d'un autre prise angloise Et Je conduist le tout au Petit Bonnavanture ou J'ay mouillé a la nuit du même Jour, le lendemain Je fist Signal dapareillé Et Je fut ce jour La avec toute ma Petite flotte 25 a 30 Lieux dans la Baye Et le 19 dud. Jetois monté à 6 lieux du rapide de Ristigouche ou Je mouillé Et fist mouiller tous mais navires dans un Endroit fort commode ou Jespedié le Sr St Simon officier de la Colonie qui avoit Passé avec moy à monsieur vaudreille avec les Paquets dont Jestois Chargé, Et comme Javois ordre datandre celle de Mr Vaudreil, Je fist mettre à terre Les troupes Embarquée Sur ma fregatte Et Sur les deux autres navires Composant En Total 200 hommes Jocupay une partie de mon Equipage à construire une Batterie Sur une Pointe qui defandoit le passage Et les autres à de charger une gouellete de nos prises Pour la faire Servir de decouverte, Pandant ce tems Je faisois Eaux, Et Biscuits pour Estre En Etat de sortir au premier ordre de monsieur Vaudreuil qui ont extremement retardé, la decouverte fut dehors le 12' Juin Sous le Commandemant du Sieur Lavary le Roy un de mes Premier lieut. ou Elle resta J'usquau 22° du dit Sans avoir Eu aucunnes Connoissance de rien que de quelques gouelette Batteaux Et Esquif cadien qui venoient Journellement ce Joindre a nous avec Beaucoup de famille Cadienne pour avoir du Secour En vivre Estant dans la derniere miserre, le 23 du dit l Equipage de la decouverte ce Joignit à moy àpres avoir Esté contrain de Jetté En coste par laproche d'un vx de guerre anglois de 74 Canons Et 4 Berges Je fist aussitot mestre 4 de mes canon de 12 ll Et un de 6 Sur la Baterie, Et coulé des Batiments dans le chenal a 1/2 Porté de Canon de la ditte Baterie le tout Estoit prest la nuit du 26e au 27e Juin que Japrent larrivé de 2 autres vaissx de guerre Et 2 fregattes le 27' Les 2 fregattes Et le vaisx de 74 Canons ont montés la rivierre Et mouillé En dehors de cette chesne, la Battery de terre dont J'ay Parlé commandé par Le Sieur Donat de la Garde mon capne° En Second à fait feu de Sus Et na discontinué de part Et dautres qu'a l'entré de la nuit que les 2 fregattes ce sont retirées dans le faux chanal du Sud. Javais meditté de restér avec ma fregatte Pour Soutenir la Batterie mais la force de l'Ennemis Estant trop superieure maurais Empeché de rejoindre tous les Batimants que Javais fait monter du momant des nouvelle du premier vaisx de guerre pour salegir Insi que moy qui le faisoit dans lintervalle En mettant à terre le plus quil nous Estoit Possible des Effest du Roy, Je les Joingné le 28; La Batterie à Soutenue Jusquau 3 Juillet avec toute la Bravoure possible Et a Esté contrain a la fin de crever cest canon, le vaisx de 74 canons ayant passé Sa direction par le feaux chenal du Sud la dominant En outre par la Superiorité de Son artillerie;

Le 4'Id. les 2 fregattes ont travaillés à ce faire un Passage En Soulagent quelquns des Batimant Coullé Et il En Sont venus à Bout le 6- courant Le 7 Ils ont montées à la porté d'une Baterie de 3 canons de 4 ll commandé par le Sieur Gilbert un de mes lieut. que Javais fait Etablir à la coste du Sud Pour Empecher une gouellette de venir sondé le chenal, Elle la Effectivement Empeché Jusqua que les 2 fte les ont contrain de labandonner apres avoir fait tout ce qu'on Peut atandre de Brave gens; Le 8° à 5 hres' 1/2 du matin Elle mont aproché à la demy Portté de canon Elle mauroient aprochés plus prest Sans une Seconde chesne de navire que Javais fait couller En dehors de moy Et d'une Batterïe que J'avois fait Establir à La coste du nord de 3 de mes canon de 12 ll et de 2 de 6 ll du marquis de malauze, cette Batterïe Estoit commandé par le Sieur Reboul mon pr Lieut. Tout cela retardoit la Proche de lennemy Et me donnoit du tems pour mettre des Effets du Roy à terre;

Les deux fregattes Estoit une de 36 canon, 26 de 12 ll Et 10 de 6ll Son Equipage Et du ranfor des 3 vx de guerre, l'autre de 26 Canon de 9 ll En Batterie Son Equipage complette, une Gouellette de 4 Canon de 6 ll Et 17 Berges de 25 à 30 hommes d'Equipage Chasques; Et moy Javais à oposer à des forces aussy Superieures 13 Canon de 12 ll Et un de 6 ll dont 10 du costé de Babord presanté aux Ennemis Et 3 à tribord au cas que leurs Berges Ussent voulus venir pandant le Combat nous aborder de ce costé la, Javois de mon Equipage pour lors 70 hommes les autres Estant Employé Pandant ce tems la à haller tous les petist Battimant chargé des Effets du Roy à porté de mousqueterie de terre ou nous avions fait un depost à la hâtte En outre celuy qui Estoit hor d insulte Et une autre Partie Estant Employé à la Batterie du Sieur Reboul qui à fait tout ce quon Peut faire, Javais aussy à Bord 45 Soldats Sous les ordres de monsieur dangac, Je n'em parleré point ils Sont connus Pour de Braves gens, ce nest pas à moy d'En faire de Loge, cest avec cest forces la que nous avons Commencé le combat Entre 5 Et 6 heures du matin Et tenue Jusqua 11 heures ou apres avoir perdue 30 hommes, 8 Pieds d Eaux dans la Calle et avoir coullé la grande fregatte angloise qui ne ce seroit Jamais relevé dou Elle Estoit Sans le peu d'Eau qu'elle avoit Sous Elle quil la facilitoit de reprendre cest coups quelle avoit à L'Eau, nous avons Esté contrain de mettre le feu dans la fregatte; le Bienfesant En à fait autant, Et le marquis de malauze lauroit fait aussy Sans les prisonniers anglois qui Se trouvoit à Bord que nous navons pas voulus sacrifier à la fureur des Sauvages, Sitot nos Batimants brulées Ils ont Expediées la Gouellette Et les 17 Berges pour venir prendre Et Brullé tous les Petist Batimants chargée des Effets du Roy, ce qui nous à mist dans le cas de Mettre le feux nous mêmes à tous ceux qui Estoient hors de portées de fusil de Terre Et nous avons defandus tous les autres Jusqua 11 hre du Soir quils ont Esté contraint de ce retirér aprest avoir tiré leurs Prisonniers du maloze Et y à avoir mist le feux cest la Seulle chose quil ont fait avec 3 vx de Guerre Et 2 fttes. pandant 17 Jours Et sans ozé desandre à terre lespace de 6 Lieu de teren Il Est Extremement flatteur pour moy d avoir Eue Sous mes ordres d aussy Braves Jens comme J'en avoient;

Le 9' courant les deux fregattes ont desendus Et rejoint les Vx de Guerre Et Le 17' Jls ont tous Evaquée la rivierre, le même Jour le Sr st Simon Est venue du montreal En 13 Jours, Jl ma aporté un ordre de Mr Vaudreil pour partir dans ma fregatte, Et porté cest paquets Jusquau premier port de france allié ou neustre Et comme Elle Estoit Brullé, J'ay fait travaillér à une gouellete Cadienne qui ce trouvoit la Et le mise En Etat de Sortir le 10e aoust nous Estions nord Et Sud de Bonnaventure, Et le 3e 7bre J'ay mouillé à st ander aprest avoir Eu 11 hre de chasses au detroit de belille Et En 13 Jours

Estant venue d'une terre à l'autre;
Giraudais Bux octobre 1760
Detail de Sa Campagne Sur le Machault
Lieut. de fte 1760.

Appendice B :
Devis d'une frégate de 24 canons de 12 livres, 1757[39]

« Bayonne 2 mars 1757 Devis d'une fregate de 24 canons de 12 en une batterie propre pour la course sur le plan de M Geffroy constructeur pour le Roy en ce port »

Scavoir longueur de l'étrave a l'étambot	128 Pieds
Largeur au me gabarit	32 6 pes
Creux au me gabarit de dessus la rablure* de la quille a la ligne droite au dessus du bau	17
Elancement d'etrave	14
Quete à l'étambot	2
Longueur de la quille portant sur terre	112

Cette fregatte n'aura qu'un pont sur lequel seront places 24 canons de 12 li. il y aura un gaillard derriere qui se terminera au dessus du grand sep de drisse, et qui aura de hauteur contre le bord de planche en planche 5 pieds 7 pouces, et tout en arriere 5 pieds 9 pouces; le gaillard d'avant se terminera en arrière du cabestan de la fosse aux cables de 6 pouces et aura de hauteur a cet endroit 5 pieds 6 pouces et tout en avant 5 pieds 7 pouces.

Il y aura un entrepont pratiqué au dessous du pont et pris dans la calle qui aura de hauteur de planche en planche 5 pieds 3 pouces 6 lignes de l'avant à l'arrière et lié de même que le pont, et pour aider cet entrepont, on pratiquera entre la fourrure* de gouttiere et la serre bauquiere du pont de la Ste Barbe contre la cloison des etages pour y placer les gardefeux*, et au dessus des baux dans cette meme Ste Barbe on placera des rateliers pour les escovillons* et gargousses* en avant contre les bittes il sera fait une cloison en travers pour la fosse au lion.

Dans la calle il y aura une archipompe autour du pied du grand mat dont les montants et bordages qui doivent en faire le revêtement seront de chêne, en avant de cette archipompe sera le parquet à boulet

---

39 France, Archives de la Chambre de Commerce de la Rochelle, carton XXII, dossier 3, n° 7460.

qui sera contigû a cette archipompe en arriere de cette archipompe il y aura une plateforme pour la distribution des vivres et une écoutille pour y descendre les futailles dans la calle, en arrière de cette plateforme à vivres de chaque coté seront les soutes a pain avec un coridor au milieu pour la communication de l'écoutille aux vivres a la soutte à poudre mais on doit observer que ces soutes doivent avoir plus de hauteur que la plateforme aux vivres en arrière des soutes a pain sera la soute de rechange du me canonier ou il sera la communication de la Ste Barbe, en dessous des soutes a pain sera la soute a poudre avec une archipompe pour y placer un fanal, en arrière des soutes a pain le long de bord on laissera une espace convenable pour pouvoir obvier aux accidents imprévus qui, peuvent survenir dans le combat sur le pont, entre le premier & second sabord de l'avant on placera de chaque côté une cuisine l'une pour le capitaine & l'autre pour l'équipage

La barre du gouvernail sera placée dans la grande chambre et au cas quelle vint a manquer on pourra en placer une autre au dessus du gaillard le gouvernail devant se lever au dessus du gaillard et la mortoise* toute préparée pour recevoir cette seconde barre.

Dimensions des pieces toutes écarries

La quille sera composée de quatre pieces, non compris le brion ou ringeau* elle aura de hauteur 14 pouces du dessous de la quille au dessus de la rablure et 12 pouces de largeur, les écarts auront au moins 4 pieds 1 de longueur, et au dessus de cette quille une contrequille de 4 pouces depaisseur, toutes les varangues genoux et allonges auront sur le droit 8 pouces, sur le gabariage ses couples auront 16 pouces sur la quille a la pre lisse 8 pouces 9 lignes a la 2 de 8 pouces 4 lignes a la 3e 7 pouces 10 lignes a la 4e 7 pouces 5 lignes a la 5e 8 pouces 4 lignes qui est la lisse du fort a la 6e lisse 5 pouces 6 lignes enfin la 7e lisse ou celle du platbord* 4 pouces les mailles entre chaque couple seront de 8 pouces a 8 1/2 ou plus Les ampatures* des couples auront au moins 4 pieds 6 pouces à 5 pieds de longueur et seront liées par trois chevilles en chaque ampature de 9 lignes de grosseur dans le fond et dans les œuvres mortes de 8 lignes seulemt., la carlingue aura depaisr. 8 pces et sera entaillée* de l'avant a l'arriere de 2 pouces et chaque virure aura largeur 7 pouces 6 lignes et retenue independemment des cloux par des chevilles de fer de 15 lignes de grosseur et virollée* sur la carlingue, en avant et en arriere sur les varangues sera placé un marsoin dont chacun sera chevillé avec les varangues, l'étrave l'étambot et la carlingue les vaigrages en dedans auront depaisseur 2 pouces 1/2 et ce vaigrage sera en plein jusqu'a la hauteur du lest avec des accotards* entre chaque membre pour empecher le lest de se répandre dans les mailles et entre les vaigrages en dedans il y aura un pied 6 pouces entre chaque virure les serre bauquieres du faux pont auront depaisseur 3 pouces 6 lignes et celles en dessous 3 pouces et de largeur 10 a 12 pouces.

Les baux de ce faux pont auront de largeur sur le droit 9 pouces et sur le tour 8 pouces eloignées l'un de l'autre de 3 pieds à 3 pieds 6 pouces mais ceux des écoutilles seront plus ecartés l'un de l'autre, tous les baux seront entaillés dans les serre bauquière de 3 pouces 6 lignes a queue* d'aronde toutes les courbes auront 6 pouces 6 lignes sur le droit et une à chaque bout des baues qui seront liées contre le bord par trois chevilles de fer, l'autre branche qui embrasse le baue par trois autres chevilles qui seront goupillées sur la courbe entre chaque double rang d'illoires* sera placé des traversins* ou entremises entaillées dans les baux et les barrotins de même entaillés dans les illoires pour soutenir le calfetage.

A ce faux pont on placera en avant une guirlande sur lesquels les bordages seront cloués et cette guirlande sera bien chevillée contre le bord et étrave, et toutes les chevilles bien rivées, et de grosseur convenable, en dessous de ce faux pont, il sera de même placé deux autres guirlandes chevillées comme celles du faux pont, en arrière dans les façons il sera placé deux courbes décusson de chaque cotté du marsoin et posée obliquemt sur les barres et membres qui seront bien chevillés.

Les illoires auront 3 pouces 6 lignes d'épaisseur et endantées dans les baux a dents couvertes de 1 pouce 6 lignes et auront de largeur 8 pouces & seront de chêne. Le premier rang des gouttieres qui est contre le bord aura 8 pouces d'épaisseur sur 9 pouces de largeur et entaillée de 2 pouces, dans les baux, et chevillées par dehors et virollée sur les côtés des baux et toutes ses pieces seront de chêne, il y aura sur les deux ponts, et de chaque cotté un tirepoint de l'avant en arriere de largeur & epaisseur correspondant, bien chevillée, tous les bordages du faux pont seront de planche de prusse* a la reserve des étambrais des mats.

Les serres gouttieres auront depaisseur 3 pouces 6 lignes et 10 pouces de largeur à chaque virure, observant quil y aura deux virures à chaque côté, au dessus de la gouttiere les bordages qui seront au dessus de la serre gouttiere jusqu'au dessous de la serre bauquiere auront d'épaisseur 2 pouces 6 lignes.

Les baux du pont auront sur le droit 10 pouces, et sur le tour 9 pouces, et seront entaillés à queue d'aronde dans le serre bauquiere de 3 pouces, et les serres qui auront d'épaisseur 3 pouces 6 lignes et 10 à 12 pouces de largeur et une guirlande en avant entre chaque rang d'illoires d'un bou à l'autre sera mis des traversins ou entremises de l'avant à l'arrière, comme au faux pont pour soutenir les barrotins dont ces derniers seront entaillés dans les illoires comme les traversins dans les baux et une courbe à chaque bout du baue et qui seront liés contre le bord avec les beaux comme au faux pont, les illoires n'auront que 4 pouces 6 lignes depais et seront entaillées dans les baux comme les precedentes de 1 pouce 6 lignes à dent couverte.

Les ferrures des gouttieres auront depaisseur 8 pouces entaillées a dent* couverte de 2 pouces dans les baux, et elles auront de largeur sur le tour au can* d'en haut 7 pouces.

Les gouttieres auront depaisseur 5 pouces et seront entaillées dans les baux a queue d'aronde de 2 pouces et auront de largeur 9 à 10 pouces et liées avec le bord et le pont comme ceux du faux pont, le reste du pont sera bordé de planche de sapin de 3 pouces d'épaisseur le faux pont de 2 pouces sous le gaillard d'avant, à cause des cuisinnes, et a l'endroit des étambrais des mats et cabestan qui seront bordés de chêne.

Les serres gouttieres auront d'epaisseur 3 pouces 6 lignes et 8 pouces de largeur pour chaque rang de virures, le reste du ribord* en dedans entre chaque sabord seront bordés de planche de sapin de 2 pouces 6 lignes d'epaisseur. Sur le pont seront places les bittes avec leurs taquets, traversins et coussins* sep de drisse pour le grand hunier, bitton* d'hune de grand hunier, et caillebotis et tous les dalots necessaires pour l'ecoulement des eaux.

Dans l'entrepont, comme dans la calle, les épontilles avec les illoires renversées les barots des gaillards d'arriere et d'avant auront 7 pouces de largeur sur le droit, et 6 pouces sur le tour entaillé dans la serre bauquière, et cette serre aura d'epaisseur 3 pouces et 10 de largeur, les gouttieres auront d'épaisseur 5 pouces entaillées dans le barrot de 2 pouces et auront de largeur 12 pouces. les Illoires du milieu auront 3 pouces 6 lignes depaisseur et les autres de même entaillées dans le barrot de 1 pouce 6 lignes bordé de planches de sapin de 2 pouces avec des traversins, ou entre mise et barrotins comme aux ponts et liés de même. Sur le gaillard d'avant sera placé le sep de drisse de mizaine dont le pied reposera contre le taquet des bittes du coté de tribord et entaillée sour le dit gaillard sera placé les épontilles et tourniquet* ces derniers avec leurs galoches*.

Sur ses gaillards sera fait des fronteaux souttenus par des courbes, & sur lesquelles sera posée un platbord à chaque, tant aux deux fronteaux du gaillard qu'a celuy en entrant dans l'éperon, avec les batayolles & lisses necessaires, comme aussi tous les taquets necessaires tant grands que petits ainsi que les passavants.

Les bordages en dehors depuis la quille jusqu'au faux pont seront de 3 pouces depaisseur, & depuis le faux pont jusqu'au dessous de la préceinte, ils augmenteront a proportion jusques à 5 pouces depaisseur, la pre & seconde préceinte auront d'epaisseur 5 pouces 6 lignes, de largeur 10 à 11 pouces, et le remplissage 5 pouces 6 lignes, et 10 à 12 pouces de largeur de chaine ainsi que les bordages et la virure audessus de la 2e. préceinte qui aura 3 pouces d'epaisseur et depuis cette virure jusqu'au platbord bordé de planches de sapin de 2 pouces 6 lignes d'epaisseur, les lisses de platbord et lisse de rabatue* seront faconnez en y faisant passer une moulure sur chaque lisse, a chaque virure de bordage on observera de mettre un clou à chaque membre et une gournable et une cheville de fer à chaque bout de bordage.

Dans la grande chambre on pratiquera deux sabords de retraite, garnis comme ceux de la batterie des crocqs* et organeaux* pour le service du canon, comme aussi ceux sur le pont bittes & toutes les chevilles à boucles tant sur le pont que sur le gaillard.

Il fera de même le gouvernail garny de ses ferrures avec les deux barres et roue, la demy l'une dans la grand chambre, et dans toutes les chambres des officiers il sera fait un lambris contre le bord et plafonnés entre les barrots.

Dans la grande chambre de lambrissage sur les cottés et plafonnes de meme aussi bien que les autres chambres entre les barrots comme aussi tous les chassis nécessaires pour toutes les chambres sans exception.

Les habitacles* et toutes les échelles tant pour descendre entrepont que pour monter sur les gaillards les porte haubans avec leurs courbes garnis de leurs chaines, les deffences*, dogues* d'amures, éperon, pompes, et generalemt ce qui concerne le Navire sans exception

Entre nous le Sieur Pre. Ante. Barerce, neg. et Joseph Laporte me constructeur, tous les deux de cette ville, sommes convenus d'un commun accord, que ledt Sr. Laporte s'engage a construire la fregatte du devis cy dessus pour porter 24 canons de 12# sur son pont avec toute la précision possible, suivant le plan et sur led. devis des echantillon a luy remis, et que toutes les liaisons seront faites avec toute l'exactitude possible.

Lexique

ACCOTARD : pièce de bois endentée introduite entre les membres (pièce de charpente) pour lier plus solidement le navire et empêcher la chute d'objets.

ACQUIT À CAUTION : acquit, originellement droit perçu par les seigneurs sur les poissons et les marchandises introduits dans leur domaine maritime. Ici, liste de produits sur lesquels on acquitte des droits de douane.

A DENT COUVERTE (ADENT) : mode d'assemblage de pièces de bois comportant des entailles en forme de dent.

AFFRÈTEMENT (AFFRÉTER, FRET) : convention en vertu de laquelle un armateur loue l'usage de son navire moyennant un prix appelé fret.

AIGUILLER (ANGUILLER) : petit canal percé dans les varangues (pièce de charpente au fond du navire) le long de la quille et permettant l'écoulement des eaux vers une pompe au centre du navire.

AIGUILLOT : partie mâle des gonds formant l'articulation du gouvernail; il pénètre dans une ferrure appelée femelot.

ALLONGE : pièce de bois servant à en allonger une autre; pièce de charpente s'élevant au-dessus des genoux et varangues pour former la hauteur du navire.

AMPATURE (EMPATURE) : assemblage à écart de deux pièces de bois; aussi assemblage de deux pièces par une contre-pièce.

AMONT : désigne le haut du courant d'un fleuve ou d'une rivière; au-dessus, en haut. Antonyme d'aval.

AMURE : cordage fixant, du côté du vent le point d'en bas d'une basse voile.

APPARAUX : le mot désigne les voiles, manœuvres, vergues, poulies, ancres, câbles, gouvernail et artillerie d'un navire.

ARCHIPOMPE : enceinte de planches élevée autour du pied d'un mât et des pompes; elle forme un carré dont la base repose sur le fond du navire et dont le haut touche au premier pont.

ARMEMENT : action d'équiper un navire ou un vaisseau de tout ce qui lui est nécessaire pour prendre la mer.

ARTIMON : mât le plus arrière sur un navire à trois mâts et plus. Mât le plus petit et le plus arrière sur un navire à deux mâts.

AURIQUE : voile aurique, voile le plus souvent quadrangulaire, trapézoïdale. Cette voile s'établit sur corne, gui, et peut aussi se hisser sur étai.

AUNE : ancienne mesure de longueur (1,18 m, puis 1,20 m).

BABORD : côté gauche du navire pour un observateur placé à l'arrière et regardant vers l'avant. Antonyme de tribord.

BALANCEMENT : couple de balancement : deux des couples du navire placés approximativement au quart de sa longueur, en avant et en arrière du maître-couple et dont les constructeurs déterminent les gabarits dans leurs plans. Celui de l'avant se nomme plus précisément couple de lof.

BALANCINE : nom d'une manœuvre ou cordage qui venant du mât soutient l'extrémité d'une vergue.

BARROT : poutre transversale pour soutenir les ponts. Les barrots sont pour les ponts de gaillards et le faux pont ce que sont les baux pour les premier et deuxième pont.

BARROTIN : petit barrot placé dans les intervalles entre les baux; il aide au clouage des bordages du pont.

BASTINGAGE : parapet, fixe ou mobile, élevé autour du pont pour servir de protection.

BATAILLON : regroupement de douze compagnies de 40 fusilliers et d'une compagnie de 45 grenadiers relevant du ministère de la guerre. Au complet, il forme un contingent de 525 hommes et trois bataillons constituent un régiment.

BATAYOLLE (BATAYOLE) : espèce de garde-fou composé de montants en bois ou de chandeliers de fer.

BATTERIE : sur un bâtiment de guerre, l'ensemble des canons établis sur un même pont.

BAU (MAÎTRE BAU) : poutre transversale soutenant les ponts de navire. Le maître bau marque la plus grande largeur du bâtiment.

BAUQUIÈRE (SERRE-BAUQUIÈRE) : suite de fortes pièces de bois qui, à l'intérieur du navire, forme une serre ou ceinture sur laquelle s'appuient les extrémités des baux.

BEAUPRÉ : mât placé à l'avant du navire, plus ou moins obliquement.

BITTE : système de deux fortes pièces de bois parallèles qui, plantées sur le premier pont, s'appuient solidement au fond du navire. Elles sont réunies, sur le pont, par une autre pièce de bois placée à l'horizontale et appelée traversin où s'enroulent les câbles des ancres.

BITTON : petite bitte placée près des mâts pour y maintenir des câbles.

BONNETTE : voile supplémentaire ajoutée à une voile principale pour offrir une plus grande surface au vent.

BORDÉ (BORDAGE) : ensemble des planches qui recouvrent les membres ou côtes formant le squelette du navire. Le bordé intérieur porte le nom de vaigrage.

BOULINE : cordage tenu au moyen de pattes ou branches à la ralingue (filin de bord) d'une voile. On le tire vers l'avant pour mieux présenter la voile au vent.

BOULINER : aller au plus près.

BOUTEILLE : petite construction, faite des deux côtés de la poupe, aménagée pour servir de lieux d'aisance aux officiers.

BOUTE-LOF : pièce de bois ronde placée sur l'avant de certains navires pour y amurer la voile de misaine.

BRAI : composition de gomme et résine qui forme un corps dur, sec et noirâtre, dont on enduit les joints de bordages après qu'ils soient remplis d'étoupe.

BRAIAGE : recouvrir de brai.

BRAS : cordage amarré à chaque extrémité d'une vergue pour l'orienter.

BRION : pièce de bois courbe réunissant la quille à l'étrave par un écart ou empature.

CABESTAN : appareil utilisé dans les opérations de force pour relever des ancres, hisser des mâts et des vergues. Composé d'une partie cylindrique, la mèche ou fusée, pivotant autour de son axe vertical, il est tenu au pont par un étambrai et peut se prolonger jusqu'à la carlingue. Il est mû par des barres.

CACATOIS : voile carrée s'établissant au dessus de la voile de perroquet et formant un quatrième étage de voile au mât des navires (fin du XVIIIe siècle).

CAILLEBOTIS : ouvrage de menuiserie formé de lattes croisées laissant entre elles des trous carrés. Ces treillis favorisent l'aération des entreponts.

CALFATAGE (CALFAT, CALFETAGE) : action de remplir les joints de bordages avec de l'étoupe et sur lequel on applique du brai pour imperméabiliser.

CAN : la face la moins large d'une pièce de bois.

CAP DE MOUTON : bloc de bois circulaire et aplati, avec rainure sur le pourtour, disposant de trois orifices où passent les cordages à raidir.

CARÈNE : toute la partie immergée du navire, de la quille à la ligne de flottaison.

CARGUE : cordage servant à relever une certaine partie d'une voile ou à la replier vers la vergue qui la porte.

CARGUE-BOULINE : cargue fixée à la ralingue de chute d'une voile

CARGUE-FOND : cargue frappée au milieu du bas de la voile pour en relever le fond ou le milieu.

CARLINGUE : longue pièce de bois placée au dessus de la quille et s'encastrant sur les varangues qu'elle retient. Les pieds des mât et cabestan principaux s'enchassent dans la carlingue.

CAROSSE (CARROSSE) : construction sise sur le gaillard arrière et servant de logement pour des officiers.

CHARPENTE PREMIÈRE : principe de construction navale qui consiste à ériger en premier tout le squelette ou ossature du navire par opposition à la construction de type bordé premier où la membrure est insérée après le bordage.

CHAUFFAGE : brûler contre les bordages de la carène des fagots de bois de façon à les nettoyer et à durcir l'étoupe.

CHOUQUET : bloc de bois de forme cylindrique sur le dessus, et dans sa face plane au-dessous s'engage la tête du mât inférieur; sur l'avant un demi cercle de fer sert d'appui au deuxième étage de la mâture. Le chouquet à l'anglaise est une pièce de bois rectangulaire avec mortaise d'un coté pour couvrir la tête du mât inférieur et un trou de l'autre pour y ajuster le pied du mât supérieur.

CIVADIÈRE : voile carrée enverguée sur la vergue du même nom, au mât de beaupré.

CORSAIRE : bâtiment armé en guerre par des particuliers pour s'attaquer, avec l'autorisation de l'État, aux navires de nation ennemie.

COUPLE : nom donné à chacune des côtes du navire; elles sont formées de plusieurs pièces accouplées. Chaque couple est formé d'une varangue au fond du navire, d'un genou de chaque côté et de plusieurs allonges selon la hauteur souhaitée. Le plus large de tous est le maître-couple. L'ensemble des couples constitue la membrure du bâtiment.

COURBE : pièce de bois courbée pratiquement à angle droit et qui sert à lier différentes parties de bâtiment.

COURONNEMENT (LISSE) : barre fixée en haut du tableau à l'arrière du voilier, à la partie supérieure de la poupe

COUSSIN : garniture de bois protégeant les câbles contre le frottement.

CROCQ (CROC) : instrument de fer avec lequel on tire un objet.

D'AVIET (DAVIER) : rouleau de bois installé à l'arrière d'une embarcation pour faire courir les câbles et empêcher le frottement.

DALOT : ouverture pratiquée dans la paroi d'un bâtiment pour permettre l'écoulement des eaux.

DEFFENCE (DÉFENSE) : morceau de bois ou de cordage suspendu contre le bord du navire pour en protéger les parois

DÉRIVE : pour le navire, s'écarter plus ou moins d'un cap déterminé à cause des vents ou courants.

DEVIS : déclaration détaillée que donne le charpentier, le maçon, ou tout autre ouvrier qui travaille à une construction contenant la qualité, l'ordre et la disposition de leur ouvrage, les matériaux à fournir, leur prix, quantité et tous les frais pour les mettre en état.

DOGUE (DOGUE D'AMURE) : pièce de bois fixée contre le côté du voilier, à l'intérieur, pour attacher un cordage. Voir amure.

DRAILLE : tout cordage tendu suivant l'axe du navire sur lequel glisse, au moyen d'anneau, une voile.

DRISSE : nom donné à tout cordage servant à élever les vergues et les voiles; chaque drisse est désignée du nom de l'objet qu'elle soulève.

DROIT : terme de charpenterie, désigne la face plane d'une pièce de construction par opposition à la face courbe qu'elle peut avoir d'un autre côté et que l'on appelle tour.

DUNETTE : étage élevé sur la partie postérieure d'un gaillard.

ÉCART : jonction ou aboutissement de deux bordages ou préceintes. Il y a plusieurs sortes d'écarts : dans l'écart simple ou carré, les deux extrémités ne font que se toucher; avec l'écart double, les deux extrémités s'emboîtent l'une dans l'autre.

ÉCHANTILLONAGE (ÉCHANTILLON) : dimension d'une pièce de bois.

ÉCOUTE : cordage attaché au point d'en bas d'une voile et appelant de l'arrière.

ÉCUBIER : trou vertical et rond percé des deux cotés de l'étrave pour le passage des câbles retenant les ancres.

ÉCUSSON : ornement sculpté, ou cartouche, apposé à l'avant ou à l'arrière d'un navire; également partie de la poupe d'un navire qui s'étend du pied des estains (deux pièces de bois courbées en sens contraire qui forment une de chaque côté le dernier membre de l'arrière d'un navire) jusqu'à la lisse d'hourdi (poutre localisée à la plus large partie de la poupe).

EMBELLE (BELLE) : partie du pont supérieur s'étendant entre les gaillards d'avant et d'arrière.

ENTAILLE : en charpenterie, ouverture pratiquée dans une pièce de bois pour y faire entrer une autre pièce.

ENTREMISE : pièce de bois placée entre deux autres, généralement entre deux baux, pour les renforcer.

ÉPONTILLE : pièce de bois verticale placée sous les baux ou barrots de navire pour les soutenir.

ESCOVILLON (ÉCOUVILLON) : brosse cylindrique placée au bout d'un long manche pour nettoyer l'intérieur des canons.

ÉTABLISSEMENT : traduction du terme anglais « establishment » faisant référence à une série de règlements fixant les principales dimensions des divers rangs de vaisseaux anglais entre 1706 et 1745.

ÉTAI : gros cordage fixe placé dans l'axe longitudinal portant le nom du mât auquel il est attaché et qu'il soutient contre le tangage (oscillation d'avant-arrière).

ÉTAMBOT : forte pièce de bois élevée dans le plan longitudinal du navire, à l'extrémité arrière de la quille.

ÉTAMBRAI : ensemble des pièce de charpente constituant l'ouverture dans un pont pour le passage des mâts, des mèches de cabestan et des pompes.

ÉTOUPE : vieux cordage, défait, battu et filé de nouveau dont on se sert pour calfater les joints ou coutures des navires.

ÉTRAVE : pièce de bois courbe prolongeant la quille sur l'avant.

FAUX-PONT : pont léger aménagé directement au-dessus de la cale, ne portant pas d'artillerie, et sur lequel on peut aménager différentes soutes.

FEUILLARD : latte de bois ou de fer destinée à cercler les barriques.

FLÛTE : bâtiment de charge à fond plat ; ou vaisseau armé en flûte : tout voilier utilisé pour le transport de marchandises, entrepôt, magasin, ainsi que pour le transport de troupes et dont on retire un certain nombre de canons.

FOC : voile triangulaire établie sur un étai entre le mât de misaine et le beaupré.

FORT : terme désignant la plus grande largeur de la coque d'un voilier, au niveau de la flottaison habituellement.

FOSSE AUX LIONS : fosse aux liens, fosse aux câbles, partie de la cale réservée à l'entreposage des câbles, sur l'avant des navires.

FOURCAT : désigne toute pièce de bois à deux branches formant un angle aigu; membrure située sur la quille aux extrémités d'un navire. *Voir* varangue.

FOURRURE, FOURRURE DE GOUTTIÈRE : pièce de charpente qui remplit l'angle formé par les baux et les couples à chaque pont.

FRANC BORD : type de bordé dans lequel les pièces de bois, planches ou madriers, sont placées côte à côte. Elles sont clouées ou chevillées sur la membrure, et leurs joints calfatés.

FRANCHE (TROUPE, COMPAGNIE) : regroupement de compagnies de soldats relevant du ministère de la marine, mais affranchi de l'organisation régimentaire.

FRONTEAU : sorte de balustrade établie dans la largeur d'un navire au niveau des gaillards et des dunettes.

FUTAILLE : ouvrage de tonnellerie, terme général désignant les barriques, tonneaux et barils.

GABARIAGE : contour d'une pièce de charpente gabariée, ou faconnée suivant un quelconque gabarit.

GABARIT : modèle grandeur nature, en bois léger, des principaux éléments de la charpente d'un batiment.

GAILLARD (CHÂTEAU) : pont surélevé par rapport au pont principal, à l'avant et à l'arrière d'un navire.

GALHAUBAN : cordage fixe, manœuvre dormante, pour attacher latéralement depuis la coque du navire les mâts de hune et de perroquet.

GALOCHE : ouverture dans le panneau de l'écoutille de la fosse aux câbles pour le passage de ces derniers.

GARDEFEU (GARDE-FEU) : boîte de protection des gargousses.

GARGOUSSE : enveloppe de papier, parchemin ou toile, contenant la poudre nécessaire pour charger un canon.

GATTE : retranchement de planches à l'avant du navire pour recevoir et évacuer l'eau qui entre par les écubiers.

GENOU : pièce de bois courbe recouvrant les extrémités des varangues et des premières (ou inférieures) allonges.

GOURNABLE : cheville de bois destinée à l'assemblage des pièces de charpente.

GOUTTIÈRE : forte pièce de bois assurant la liaison entre les ponts et les parois du bâtiment et servant à conduire les eaux vers les dalots, parfois synonyme de serre-gouttière.

GRÉEMENT : ensemble de tout ce qui concerne la mâture, la voilure, ainsi que les manœuvres d'un bâtiment.

GROSSE AVENTURE : argent prêté sur un navire ou sur ses marchandises et sur lequel on touche des intérêts si le bâtiment fait un bon voyage, mais que l'on perd si les marchandises ou le navire périssent.

GUINDEAU : gros treuil à axe horizontal, utilisé particulièrement sur les bâtiments commerciaux, et remplissant les fonctions d'un cabestan.

GUIRLANDE : pièce de charpente de forme courbe placée horizontalement contre l'étrave pour assurer le renfort de l'avant du navire.

HABITACLE : armoire dans laquelle est placée, en suspension, la boussole.

HÂLE-BAS : petit cordage servant à amener les voiles auriques ainsi que les voiles d'étai et de foc (enverguées sur draille).

HÂLE-BREU (HALE-BREUIL) petit cordage dont on se sert pour ferler, serrer les voiles; il est attaché aux ralingues du bas des voiles.

HAUBAN : cordage fixe, manœuvre dormante, pour attacher latéralement, depuis la coque du navire ou des hunes, chaque étage de mât.

HERPE : pièce de bois recourbée qui lie l'éperon au navire. Les pièces de bois qui les croisent portent le nom de jambettes.

HORS TOUT : dimension ou longueur du navire mesurée des extrémités supérieures de l'étrave à celle de l'étambot.

HOURDI (LISSE) : signifie claie; la carcasse de la partie postérieure de la poupe avec ses barres horizontales (barres d'arcasse) et ses montants verticaux se croisant à angle droit présente la forme d'une claie. La barre la plus large est la lisse d'hourdi. Dernier bau de la poupe qui se met de niveau en travers sur l'étambot.

HUNE : plateforme rectangulaire, ronde ou semi-circulaire, munie d'un garde-corps et placée au sommet des bas-mâts. Elle sert de poste d'observation.

ILLOIRE (HILOIRE) : fort bordage reliant entre elles les solives d'un pont de navire; bordage renforçant les ponts auprès des écoutilles, il recoit la tête des épontilles; on l'appelle aussi surbau.

ITAGUE : cordage qui porte à une de ses extrémités un poids qu'il doit hisser à l'aide d'un palan fixé à l'autre bout.

JAMBETTE : *voir* herpe; aussi support de voûte, à l'arrière.

JAUMIÈRE : orifice pratiquée dans la voûte arrière d'un navire par lequel passe la mèche du gouvernail.

JOUE : partie supérieure avant du navire avoisinant les écubiers.

LANTERNE : fanal installé en poupe.

LARGUE : allure du navire; le vent est largue pour un navire lorsque sa direction fait avec la quille un angle tourné vers l'arrière de moins de 112°.

LEVÉE (COUPLES DE LEVÉE) : couples principaux répartis à égale distance le long de la quille, tracés sur gabarit et dressés les premiers pour donner la forme générale du navire. Les couples de remplissage sont introduits entre les premiers, et ajustés à vue.

LISSE : pièce de bois droite, rectangulaire, plus ou moins large et épaisse, servant à différents usages. La plus importante est la lisse d'hourdi.

MAILLE : distance entre deux couples dans la charpente du navire.

MANTELET : panneau permettant de fermer le sabord.

MARCHEPIED : cordage placé sous la vergue et permettant aux marins de s'y déplacer.

MARGUERITE : câble attaché aux barres du cabestan pour faciliter l'effort de traction.

MARSOUIN : forte pièce de bois reliant, à l'intérieur, la carlingue à l'étrave du navire.

MEMBRURE : ossature du navire ou ensemble des couples, synonyme de membre.

MI-BOIS : assemblage à écart double.

MISAINE : le premier mât vertical à l'avant du navire.

MORTOISE (MORTAISE) : cavité pratiquée dans une pièce de bois pour y recevoir le tenon d'une autre pièce assemblée.

MUNITIONNAIRE : personne qui est chargée de fournir la nourriture et les munitions à une armée.

ŒUVRES-MORTES : toute la coque du navire en haut de la ligne de flottaison, par opposition aux œuvres vives correspondant à la carène immergée.

ORGANEAU : anneau, boucle.

OURSE (ORSE) : cordage particulier au mât d'artimon pour permettre d'orienter sa vergue.

PALAN : appareil de levage comportant un mécanisme démultiplicateur (combinaison de deux poulies) pour soulever un fardeau.

PALANQUIN : petit palan à l'aide duquel on élève jusqu'à la vergue l'extrémité de la bande de ris de la voile lorsqu'on veut en diminuer la surface.

PARQUET : compartiment en bois pratiqué dans la cale d'un navire pour entreposer du grain ou des boulets.

PASSAVANT : partie du pont supérieur le long du bastingage, au niveau des gaillards, et servant de passage entre les gaillards d'avant et d'arrière.

PERROQUET : troisième étage de mât, ou voile, aux mâts de misaine et principal.

PLATBORD : rangée de planches fixées horizontalement sur le sommet des parois de tout le navire.

POMME DE RACAGE : chapelet à plusieurs rangs de boules de bois et de planchettes traversées par une corde permettant de faire glisser les vergues le long des mâts.

PONDÉREUX : matière lourde et encombrante transportée en vrac.

PORQUE : nom d'un couple intérieur établi sur la carlingue au-dessus de certains couples de levée pour lier plus solidement la coque.

PORTE-HAUBAN : pièce de bois placée perpendiculairement à la coque permettant d'éloigner les haubans (*voir ce mot*) de cette dernière.

POULAINE (POULÈNE) : plateforme faisant saillie à l'avant du navire, au-dessus de l'éperon. Les toilettes ou latrines de l'équipage y sont situées.

PRÉCEINTE : série de forts bordages, plus larges et plus épais que le bordé, assemblés à écart et ceinturant tout l'extérieur du voilier à différentes hauteurs.

PRÈS : aujourd'hui, un navire est au près lorsque sa voilure reçoit le vent obliquement de l'avant et sous un angle supérieur à 12°.

PRUSSE : pour bois de pruche.

QUÊTE : distance, dont s'écarte une perpendiculaire abaissée du sommet de l'étambot, de l'extrémité postérieure de la quille.

QUEUE D'ARONDE : tenon en forme de queue d'hirondelle pénétrant dans une entaille de même forme pour constituer un assemblage.

RABAN : petit cordage servant à divers usages, lier une voile à une vergue, suspendre un hamac.

RABATTUE (RABATUE) : se dit d'un des étages situé au-dessus du plat-bord d'un bâtiment.

RABLURE : canelure pratiquée dans un bordage ou une pièce de bois (quille, étrave) pour y recevoir l'extrémité ou le bord inférieur d'un autre bordage.

RACAGE : *voir* pomme de racage.

RADOUB : ouvrage que font les charpentiers et les calfateurs pour le rétablissement d'un vaisseau quand il a été endommagé dans une bataille ou une tempête.

RÉA : disque de bois canelé sur son contour, suspendu par un essieu dans la caisse d'une poulie.

RIBORD : deuxième rangée de bordages extérieurs près de la quille. Dans le document de 1757, il faudrait sans doute lire rebord.

RINGEAU : synonyme de brion, *voir* ce terme.

RIS : pli que fait une voile lorsqu'on diminue sa surface.

SABORD : ouverture habituellement quadrangulaire pratiquée dans les côtés d'un voilier pour le passage des (volées de) canons. On trouve aussi des sabords, plus petits, d'aviron et de ventilation.

SAINTE-BARBE : patronne des canonniers, et par extension nom donnée à la chambre du maître-canonnier contrôlant l'accès de la soute aux poudres.

SENAUT : bâtiment de petit tonnage dont la mâture ne diffère de celle du brigantin que par un matereau portant la corne d'artimon, derrière son grand mât.

SEP DE DRISSE : gros montant de bois fixé solidement aux baux où sont attachées les drisses de basses vergues. *Voir* drisse;

SERRE : bordage formant ceinture à l'intérieur du bâtiment. *Voir* bauquière et gouttière.

SOUTE : chambre pratiquée sous les ponts de navire pour entreposer les approvisionnements et le matériel naval.

SUSPENTE : gros cordage supportant le poids des basses vergues et soulageant les drisses.

TAILLEMER : pièce de bois saillante appliquée sur le devant de l'étrave pour fendre l'eau.

TAQUET : cheville de bois ou de métal à deux branches, fixée au pont ou au bastingage, servant à amarrer les cordages.

TILLAC : nom du pont supérieur d'un voilier.

TONNEAU (TONNAGE) : unité servant à mesurer la contenance d'un navire. Le tonneau de poids est égal à 2000 livres et le tonneau de volume est égal à un encombrement de 42 pieds cubes français.

TOUR : terme de charpenterie. *Voir* droit.

TOURNIQUET : rouleau employé pour empêcher les cordages que l'on tire avec force de frotter sur les objets que l'on veut protéger.

TRAIT CARRÉ (VOILE CARRÉE) : bâtiment dont les voiles principales sont quadrangulaires.

TRAVERSIN : forte pièce de bois pacée horizontalement entre les deux montants de bitte. *Voir* bitte.

TRIBORD : côté droit du navire pour un observateur placé à l'arrière et regardant vers l'avant. Antonyme de bâbord.

VAIGRE (VAIGRAGE) : planche ou madrier servant au revêtement intérieur du navire.

VARANGUE : pièce de bois courbe dont le centre est fixée sur la quille et sert de base aux allonges. Les varangues du milieu ressemblent à la base d'un U et celles des extrémités à un V. *Voir* fourcat.

VENT (AU, SOUS) : Au vent, se dit d'une embarcation qui par rapport à un autre bâtiment se trouve plus près de la direction d'où souffle le vent; contraire de sous le vent.

VERGUE : espar ou longue pièce de bois à laquelle sont attachées les voiles et sur laquelle on les enroule.

VIROLE (VIROLLÉE) : anneau placé au bout de certains objets pour les empêcher de fendre.

VIRURE : rangée de planches ou bordages qui s'applique sur la charpente du navire.

VOÛTE : partie arrière de la coque d'un bâtiment surplombant le gouvernail.

Index des noms de voiliers

Lectures suggérées

L'étude intitulée « Rencontre navale sur la Ristigouche », Québec, inédite, 1996, renferme tout l'appareil critique de cette publication. Les données lexicales proviennent essentiellement du glossaire d'Augustin Jal. Pour approfondir les questions de construction navale et d'archéologie maritime à Ristigouche, le lecteur peut aussi consulter les ouvrages suivants :

Beattie, Judith et Bernard Pothier; « *The Battle of Restigouche* », Travail inédit n° 19, Ottawa, 1968 et 1971. Publié sous le titre de « La bataille de Ristigouche » par Judith Beattie et Bernard Pothier, dans *Lieux historiques canadiens : cahiers d'archéologie et d'histoire* n° 16, 1978, p. 5-33.

Boudriot, Jean, *La Frégate, Marine de France, 1650-1850*, Paris, Ancre, 1993.

_____. *Le navire marchand*, Paris, chez l'auteur, 1991.

Gardiner, Robert, *The First Frigates. Nine-pounder & Twelve-pounder Frigates. 1748-1815*, Londres, Conway Maritime Press, 1992.

Jal, Augustin, *Nouveau Glossaire Nautique,* lettres A à G. Réédition du CNRS, 1983/5/19.

_____.*Glossaire nautique, répertoire polyglotte de termes de marine anciens et modernes,* Turin, Bottega d'Erasmo, 1964, réédition de la publication de 1848.

Lavery, Brian, *The Ship of the Line*, vol. 1: « The Development of the Battlefleet 1650-1850 », Londres, Conway Maritime Press, 1982.

_____. *The Ship of the Line*, vol. II: « Design, Construction and Fittings », Londres, Conway Maritime Press, 1984.

Zacharchuck, Walter et Peter J.A. Waddell, *Le recouvrement du Machault. Une frégate française du XVIIIe siècle*, Ottawa, Parcs Canada, 1984.